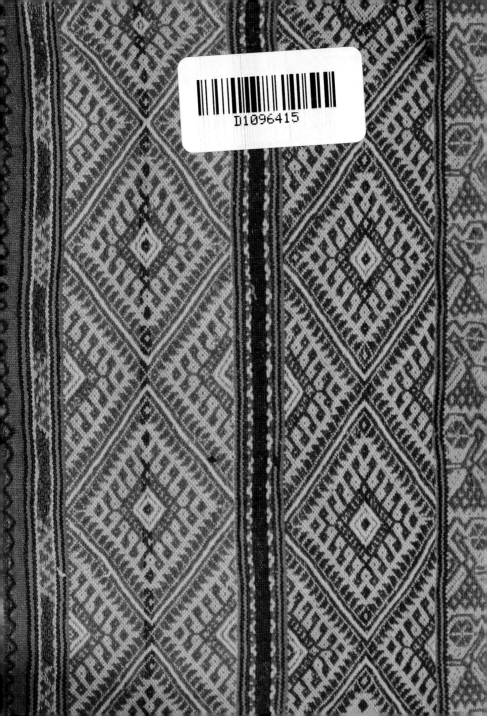

D1096415

Título original: *Diário de Pilar em Machu Picchu*
Dirección editorial: Marcela Luza
Edición: Soledad Alliaud
Coordinación de diseño: Marianela Acuña
Diseño: Joana Penna
Armado: Tomás Caramella

Todos los derechos reservados. Prohibidos, dentro de los límites establecidos
por la ley, la reproducción total o parcial de esta obra, el almacenamiento
o transmisión por medios electrónicos o mecánicos, las fotocopias y cualquier
otra forma de cesión de la misma, sin previa autorización escrita de las editoras.

© 2014 Flávia Martins Lins e Silva
© 2014 Joana Penna
© 2017 V&R Editoras • www.vreditoras.com

Argentina: San Martín 969 Piso 10 (C1004AAS), Buenos Aires
Tel./Fax: (54-11) 5352-9444 y rotativas
e-mail: editorial@vreditoras.com

México: Dakota 274, Colonia Nápoles.
CP 03810, Del. Benito Juárez, Ciudad de México
Tel./Fax: (5255) 5220-6620/6621 • 01800-543-4995
e-mail: editoras@vergararriba.com.mx

ISBN 978-987-747-306-3

Impreso en México, julio de 2017
Editorial Impresora Apolo, S.A. de C.V.

Lins e Silva, Flávia
Diario de Pilar en Machu Picchu / Flávia Lins e Silva; ilustrado por Joana
Penna. - 1a ed. - Ciudad Autónoma de Buenos Aires: V&R, 2017.
168 p.: il.; 19 x 14 cm.

Traducción de: Hernán Gugliotella.
ISBN 978-987-747-306-3

1. Literatura Infantil y Juvenil Brasilera. 2. Novelas de Aventuras. I. Penna,
Joana, ilus. II. Gugliotella, Hernán, trad. III. Título.
CDD B869.33

La siguiente publicación se ajusta a la cartografía oficial establecida por el Poder Ejecutivo
Nacional a través del Instituto Geográfico Nacional por ley 22.963 y fue aprobada por
expediente GG17 0570/5, de fecha 31 de Mayo de 2017.

Diario de Pilar

en Machu Picchu

Flávia Lins e Silva

Ilustraciones Joana Penna

Traducción: Hernán Gugliotella

V&R
EDITORAS

WITHDRAWN

Contenido

¡Ay, si yo viviera
en una granja,
seguramente tendría
muchas llamas!
¡Son tan tranquilas,
tan tiernas, tan
calentitas!

COSAS QUE SIEMPRE LLEVO EN LA MALETA:

SILBATO PARA LLAMAR PAJARITOS

CEPILLO DE DIENTES

CLIPS DE CABELLO:
1001 USOS

COLLAR CON EL GLOBO TERRÁQUEO
PARA UBICARME EN EL MUNDO

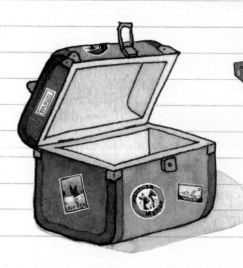

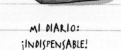

MI DIARIO:
¡INDISPENSABLE!

Pilar

AUTORRETRATO EXPLICADO

TRENZAS PARA QUE EL PELO
NO CAIGA SOBRE LA CARA

SAMBA, SIEMPRE CONMIGO
(GRAN COMPAÑERO DE VIAJE)

MI BOLSILLO,
DONDE GUARDO TODO

LEGGINGS MUY CÓMODOS,
PARA NO TENER QUE
PREOCUPARME POR LOS
"BUENOS MODALES"

MI MALETA: ¡SIEMPRE LISTA
PARA NUEVOS VIAJES!

CALZADO DEPORTIVO SIN AGUJETAS
NI CORDONES (PARA PONERLOS
Y QUITARLOS BIEN RÁPIDO)

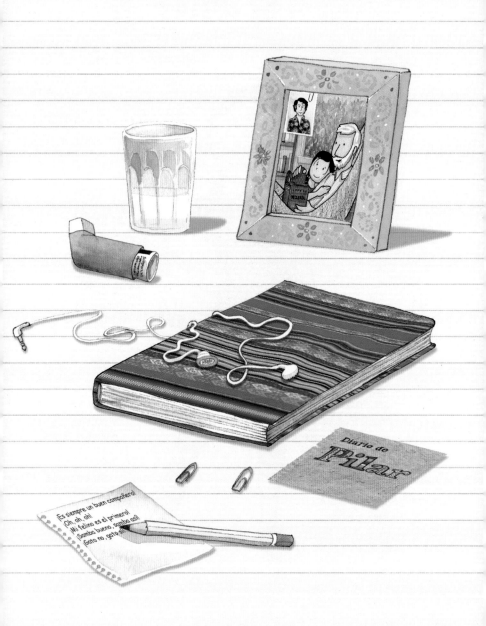

Al principio, ¡todo era caos!

Desperté en medio de la noche con una pesadilla y un terrible *atasma*, como llamo a mis ataques de asma. De vez en cuando me pasa, no sé bien por qué. Dificultad para respirar, angustia en el pecho, echar de menos a mi abuelo... Lo confieso: tengo mucho miedo de perder a quienes amo. Mi abuelo se fue para siempre, y hasta hoy no encontré a mi padre. Pero hay algo cierto: ¡nadie va a separarme de mi gato! ¡Nunca! Por eso, no bien comenzó aquella extraña conversación durante el desayuno, sentí un sabor horrible en la boca, como si el pan se hubiera vuelto amargo de golpe.

–Pilar, llamé al doctor Jaime para hablar sobre tus ataques de asma y... creo que sería mejor enviar a Samba a la granja de Betão, el hermano de Bernardo –dijo mi mamá.

–No te preocupes. Él va a estar muy bien allí... –intentó justificar Bernardo, mi padrastro.

Se me hizo un nudo en el estómago y ni siquiera pude responder. Les dirigí una mirada salvaje a ambos, después tomé a Samba en mis brazos y me fui corriendo a mi habitación. Desde el pasillo, llegué a escuchar la voz de mi madre:

—Piénsalo con calma, Pilar. Tal vez a Samba le guste vivir al aire libre y... ¡ordena tu habitación, por favor!

¡¿Ordenar mi habitación?! ¡¿Cómo podía ella pensar en eso en medio de un asunto tan serio?! Con mi diario en mis manos y los auriculares en mis oídos, me arrojé sobre mi cama aún sin hacer, muriendo de ganas de conversar con Breno. Al menos con mi más-que-amigo sé que puedo hablar de cualquier cosa y en todo momento. ¡Miren si Breno iba a estar de acuerdo con aquella locura de enviar a Samba a una granja lejos de mí! ¡Jamás!

Para no pensar más en eso, comencé a escribir una letra para la canción que Breno estaba componiendo en su guitarra. ¿Y quién dijo que crear la letra de una canción es fácil? Esbocé una primera idea:

Al calor de la Amazonia
o en el frío de Laponia
tanta gente interesante
tanto lugar fascinante...

¡No, no! ¡Son rimas muy previsibles! Abollé el papel y, cuando lo boté hacia el cesto de basura, Samba interceptó la bola, creyendo que quería jugar con él. ¡Qué personaje tan especial! Lo llamé para que saltara a mi regazo, le hice un mimo muy agradable y le expliqué:

—¡En un rato jugamos, Samba! Ahora estoy escribiendo la letra de una canción. Escucha esto...

Sobrevolamos Egipto,
con su desierto gigante.
En la Amazonia lindante
navegamos en laberinto.
Desde lo alto del Olimpo
avistamos el infinito...

¡No! No era sobre nuestros viajes que yo quería hablar. Arrojé también este papel al cesto, pero esta vez Samba no apareció para atraparlo. Tal vez estuviese oculto debajo de los papeles desparramados por el suelo. Justo en ese instante, unos golpes fuertes a mi puerta interrumpieron mis pensamientos.

—Quiero estar sola. ¡Olvídense de mí! —gruñí.

–No hay problema. Lo siento. Vuelvo más tarde –escuché decir a Breno.

¿Cómo podía imaginar que era él? Inmediatamente, salté de la cama y abrí la puerta.

Al entrar, no pudo evitar su asombro:

–¡Guau, Pilar! ¿Hubo algún terremoto por aquí?

¡Mi habitación estaba tan desordenada que parecía una selva!

Algo avergonzada, improvisé una disculpa:

—Es que... Samba y yo estábamos jugando a que enfrentábamos terribles tornados y huracanes, ¡entonces las cosas salieron volando de mis manos por todos lados! ¡Fue una locura!

—Ah, está bien. ¿Y dónde está la letra que prometiste escribir para mi canción? ¡Vine aquí tan entusiasmado, hasta traje mi guitarra!

En medio de aquel caos, no había manera de encontrar los primeros borradores. Aún no estaban listos, pero quería mostrárselos de cualquier modo. Jalé las sábanas, levanté la ropa y los cojines en busca de la letra desaparecida y... ¡nada!

—Samba, ¿has visto la letra que hice para Breno?

—¡¿Samba?! —llamó Breno—. Pilar, creo que tu gato desapareció en medio de este desastre y tú ni lo notaste.

Quitamos todos los libros del suelo, levantamos los calcetines desparramados sobre la alfombra y... ni rastro de él. Fue Breno quien abrió la hamaca mágica y encontró allí un pedazo de papel rasgado:

—¡Mira esto! Parece que tenemos la mitad de la letra de una canción...

—Entonces, la otra mitad debe estar allá con Samba.

—¿Allá dónde, Pilar?

—Es lo que debemos descubrir. ¡Hamaca mágica, llévame que voy, llévame adonde sea! —dije, saltando dentro de ella.

Rápidamente, Breno se unió a mí con su guitarra y comenzamos a girar y girar, hasta perder la noción de dónde estaba el techo y dónde el suelo.

El baño de la ñusta

Cuando la hamaca se detuvo, sentí un tremendo malestar. Me levanté con cuidado y me apoyé en un árbol. Seguramente estábamos en lo alto de una montaña, pues, a pesar del sol, hacía un poco de frío. Cerca, había una construcción de piedra que parecía una tina. Iba a caminar hasta allí para lavarme el rostro, pero las náuseas aumentaron y no pude contenerme: ¡devolví todo el desayuno! Después de ensuciar el verde césped bajo mis pies, Breno me ayudó y entré con ropa y todo en la tina de piedra con agua transparente. Mientras intentaba recuperarme, él observaba el sistema hidráulico que traía el agua fresquita de la montaña directo hacia allí. El agua bajaba sin caños, al aire libre, por canaletas recortadas en las piedras, todas perfectamente encajadas.

–¿Te has fijado en este acueducto, Pilar? ¡Qué obra de arte! ¡Esto es obra de gente con mucha inventiva!

Yo todavía estaba bastante mareada como para mirar cualquier cosa y resolví sentarme y mojar mi rostro varias veces. Ya me sentía mejor, cuando escuché una voz desconocida:

–¿Por casualidad tú eres una *ñusta*? ¡Has entrado en el baño de las *ñustas*!

Una chica morena, de cabellos lacios y largos, me miraba sorprendida. Como esa pregunta no tenía sentido para mí, decidí presentarme:

–Hola, creo que estás confundiéndome con alguien más. Mi nombre es Pilar. Encantada.

–¡Esta tina es solo para las *ñustas*, las princesas, las elegidas del dios Inti! ¡No quiero imaginarme lo que puede sucederle a quien entre allí sin permiso! –explicó ella, haciendo una reverencia al sol.

–¿El dios Inti? ¿Quién es ese?

–¿Nunca oíste hablar de Inti, nuestro dios Sol? Siempre que el día amanece soleado, le doy gracias a él.

Breno me miró con una sonrisa cómplice, conociendo la curiosidad que despertaba en mí aquella conversación.

–¿Y cómo es que ese dios elige a alguien para ser princesa? –pregunté.

–Son los grandes Sacerdotes los que eligen a las *ñustas*, o *acllas*, comunicándose directamente con los dioses. ¿El dios Sol te eligió a ti? O acaso, ¿te envió alguna señal?

–En realidad, después de sentirme muy mal, tuve la necesidad de tomar un baño. Pero ya estoy saliendo, porque el agua está demasiado fría.

–Debes haber sufrido el *soroche*, el mal de las alturas. Mastica estas hojas de coca y pronto te sentirás mejor.

Así fue como probé unas hojas pequeñas, terriblemente amargas, que me ayudaron a que se me pase el mareo y a recuperarme de las náuseas. El frío, sin embargo, siguió incomodándome y, percatándose de que yo estaba temblando, la chica de largos cabellos me extendió su poncho colorido hecho con una lana muy suave. No bien ella se sacó el poncho, noté que traía un animalito atado a su espalda. ¡Qué hermosura! Enseguida le hice unos mimos:

–¿Qué es este animalito tan tierno?

–Es una cría de llama. Y tu poncho está hecho con lana de su madre, que está allí.

–¡Qué animales simpáticos! ¡Y qué cachorro más bonito! ¿Puedo sostenerlo? –pedí, loca por tener a esa pequeña llama en mis brazos.

–¡Claro! Es muy tranquilo. Mi nombre es Yma y él se llama Cori, que significa "de oro".

—Él debe ser muy preciado para ti –le dije, agradecida por el poncho y abrazándome a Cori para calentarme un poco más.

Breno miró a su alrededor, sin reconocer el lugar:

—Estamos en una montaña, ¿verdad? ¿Qué ciudad es esta?

—¿No saben que están en Ollantaytambo, en el Valle Sagrado del Perú? ¿Cómo llegaron aquí?

—Yma, él es mi amigo Breno. Nosotros siempre viajamos juntos, pero nunca sabemos dónde vamos a parar. En realidad, vinimos siguiendo a mi gato, Samba. Es blanco, con patas color chocolate. ¿Has visto un gatito perdido por aquí?

—¿Te refieres a un animal blanco, con una cola larga, algo glotón?

—¡Muy glotón! –rio Breno.

—¿Sabes dónde está Samba? Él también es muy preciado para mí.

—Creo que sí, Pilar. ¡Vengan conmigo!

Después de guardar la hamaca, bien enrollada, dentro de mi superbolsillo, Breno y yo seguimos a Yma por las calles estrechas de la ciudad, entre casas hechas con bloques de piedras y tejados de paja. A mi lado, Breno continuaba impresionado con la ingeniería del lugar:

—¿Cómo habrán logrado cortar estas piedras enormes? ¿Y cómo colocaron una encima de la otra? Creo que ellos ni siquiera usan cemento, Pilar. Está todo encajado. ¡Imagina la fuerza que se necesita para levantar semejantes piedras!

Aquello resultaba realmente curioso y encantador: una ciudad toda hecha de grandes piedras, perfectamente ajustadas y, en los alrededores, ninguna grúa, ningún cemento, ningún taladro. ¡Un misterio!

Continuamos avanzando por una larga calle y llegamos a un maizal donde crecían espigas de los más variados colores: ¡blancas, negras, amarillas, rojizas, combinadas! ¡Nunca había visto tantos tipos de choclo en mi vida! Me dieron unas ganas de probarlos...

PERÚ

El Perú es un país muy lindo que queda en América del Sur, a las orillas del océano Pacífico. Su capital actual es Lima. Durante el imperio incaico, entre los siglos XIII y XVI, la capital era Cuzco. La civilización incaica fue una de las más importantes de las Américas. Los incas vivían principalmente en la región de la cordillera de los Andes, incluyendo Ecuador, Chile, Argentina, Bolivia, Colombia y, por supuesto, Perú. Ellos hablaban la lengua quechua, aún utilizada por muchos peruanos. Hoy, sin embargo, el idioma oficial del país es el español.

¡Al final del diario, voy a hacer una hermosa lista con mis palabras favoritas en quechua!

¡Quién no perdió tiempo para probarlos fue Samba, obviamente! Del interior de un cesto lleno de espigas, vi surgir de pronto aquella cabecita blanca tan familiar. Lo llamé, pero ni siquiera se movió. Estaba entretenido con algo que yo no podía divisar desde lejos. Al acercarme un poco más, observé a un muchacho con un gorro rojo que debía ser el dueño del cesto. Soplaba a través de una hoja enrollada, como si fuera un silbato y, delante de él, varios mosquitos giraban formando un círculo.

—¡Mira, Breno! ¡Creo que ese chico sabe domar insectos!

—¡¿Qué?! ¡Eso es prácticamente imposible! —me respondió él, sorprendido.

—Tunki sabe domar insectos, sí. Él posee varias habilidades —dijo Yma, orgullosa.

Yo no quería perder la oportunidad de aprender a domar insectos. Ya sabía conversar con los pajaritos, ¡pero nunca pensé que pudiera comunicarme con moscas y mosquitos! Estaba tan deslumbrada que me senté junto a Tunki, me presenté y lo convencí para que me enseñara. Había que enrollar una hoja fresca en forma de

flauta, después emitir algunos silbidos rápidos, seguidos de uno más largo. Imité todo lo que él hacía, sin embargo... ¡Qué desastre! ¡Poco después, estábamos cercados por un enjambre de abejas!

—¡Socorro! ¡Un *insectaque*! ¡Nos atacan los insectos! ¿Y ahora, Tunki? ¿Cómo hago para librarme de todas estas abejas?

—¡Ahora lo mejor es correr, Pilar! —exclamó él, tomando el cesto de choclos y echando a correr.

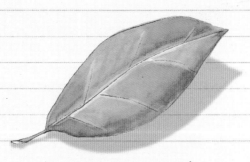

Hoja de coca: ¡muy amarga!

LLAMAS, ALPACAS Y VICUÑAS

Las llamas, alpacas y vicuñas pertenecen a la familia de los camélidos (¡apuesto a que son primas lejanas de los camellos!) y viven en los Andes.

LLAMAS: Son mamíferos muy dóciles que ayudan a transportar cestos pesados por las montañas. Esquilando su pelo, los peruanos producen una lana muy suave y calentita, excelente para abrigos, gorros y ponchos, como el que Yma me prestó. ¡Ay, Cori es un cachorrito de llama tan tierno, tan querible!

ALPACAS: Son más pequeñas que las llamas ¡y mucho más peludas! Bajitas, no llegan a medir un metro de altura. Fueron domesticadas hace miles de años y proporcionan una lana muy gruesa que resulta óptima para la ropa de invierno.

VICUÑAS: Son animales ágiles y delicados que viven libres por los Andes. Producen una lana fina y suave, que es considerada rara y cara, puesto que las vicuñas deben ser capturadas para esquilarlas y luego se las vuelve a soltar. Después de todo, son animales salvajes.

El chihuaco

Tomé a Samba en mis brazos y salimos todos corriendo como locos. Cuando, finalmente, nos libramos de las abejas, decidimos juntar madera y leña para hacer una fogata y asar las mazorcas de maíz. Tunki traía en sus hombros dos bolas unidas por un hilo que, cuando se las friccionaba, funcionaban mejor que cualquier fósforo. Fueron suficientes dos chispas emanadas de aquellas bolas para que la fogata se encendiera. Entonces, Tunki levantó una espiga y agradeció:

—Pachamama, diosa de la Tierra y de la Fertilidad, gracias por este alimento. ¡Que nuestro suelo siempre nos dé mucha comida!

Poco después, ya estábamos probando aquellos grandes y tiernos granos de maíz que se derretían en la boca.

—¡Qué delicia! ¡Es el mejor choclo del mundo!

—Nuestro maíz es realmente especial —asintió Tunki, orgulloso de su plantación.

—¡*Delisura* pura! ¡*Delics, delócs, delux*! —exclamé.

—¡Ay, Pilar, adoro tus palabras estilo *inventex*! —comentó Breno.

MAÍZ

En Perú hay maíz blanco, amarillo, negro, rojizo, mezclado, ¡todos maravillosos!

Dicen que el maíz se consume en América desde hace siete mil años y que su cultivo habría comenzado en el año 2000 a. C. Después de la llegada de Cristóbal Colón y de los conquistadores españoles, fue llevado a Europa, donde comenzó a ser plantado, siendo utilizado para hacer sémola, polenta, pan de maíz... ¡Ay, yo adoro un buen pan de maíz!

—Yma y yo nos entendíamos cada vez mejor; estábamos conversando sobre lo que nos gustaba y lo que no, cuando percibí que ella y Tunki debían tener algún secreto especial, porque se miraban y se sonreían todo el tiempo, como si el resto del mundo no tuviera tanta importancia.

—Yma, a ti te gusta Tunki, ¿verdad? —le pregunté en voz muy baja, para que los demás no escucharan.

—Sí. ¡Nos queremos mucho! Pero esto es un secreto,

Pilar. Nadie puede saberlo. ¡Absolutamente nadie! –me confió ella, algo tensa.

–¿Por qué? ¿Tus padres no quieren que estés con alguien? –pregunté, curiosa.

–Aún no conocemos nuestro destino. Solo sé que quiero a Tunki más que a nadie en el mundo.

Cuando yo también iba a contarle a ella lo que sentía por mi más-que-amigo, fuimos sorprendidas por una música animada que Tunki y Breno improvisaban: uno con su flauta y el otro con su guitarra.

–Pilar, ¿conoces el baile de la alegría? Cuando Tunki toca, no consigo quedarme quieta –dijo Yma, invitándome a bailar.

Por lo visto, nuestros nuevos amigos eran muy festivos, adoraban bailar y cantar. Minutos después, Yma y yo dábamos vueltas y más vueltas, mientras Breno y Tunki tocaban un ritmo cada vez más acelerado. Desde el interior de mi superbolsillo, Samba emitió algunos maullidos y pensé que debía estar disfrutando del baile. Enseguida, sin embargo, descubrí que en realidad mi gato estaba interesado en un pájaro color café, de pecho anaranjado, que inesperadamente comenzó a hablar:

—¡No tengo hambre, no tengo hambre!

Al escuchar su voz, interrumpí mi baile, y Breno también dejó de tocar la guitarra. ¡Después de todo, ese pájaro no se parecía en nada al papagayo pero aun así sabía hablar! Lo más desconcertante era que, a pesar de decir que no tenía hambre, no paraba de picotear los choclos del cesto.

—¿Qué pájaro es este? —pregunté, impresionada, buscando el bloc en mi superbolsillo para dibujar al pájaro hablador.

—Es el chihuaco, un pájaro embaucador —dijo Yma—. ¿Nunca escucharon la historia del Ari Mancacha? —quiso saber.

Como no la conocíamos, comenzaron a contárnosla. Era una historia muy antigua, del tiempo en que el hombre aún no sabía hacer fuego ni hilar lana para protegerse del frío.

—En aquel tiempo, el gran Creador, el dios Viracocha, decidió mandar al Ari Mancacha a la tierra para ayudar a los hombres y le pidió al chihuaco que propagara la novedad: los hombres nunca más pasarían hambre, frío ni ninguna otra necesidad —contó Tunki.

–¿Qué era ese Ari Mancacha
tan maravilloso? –pregunté.

–Ah, era una especie de caldero
mágico –explicó Yma.

–Con solo colocar algunas hojas en el caldero, muchas comi-

das surgían. Alcanzaba con llenar el caldero de lana
para que todo se transformara en ropa. Pero el pícaro
chihuaco, engañando a los hombres, dijo justamente lo
contrario: que el dios Viracocha había ordenado que
todos trabajaran sin parar. ¡Y es por eso que hoy nosotros trabajamos tanto! –dijo Tunki, riendo.

–Como castigo, Viracocha hizo que el pájaro men-
tiroso sintiera hambre todo el tiempo. Apenas come,
todo sale. Y por eso vive de un lado para otro, siempre
insatisfecho –agregó Yma.

–¡Ahora ya comió demasiado choclo! ¡Basta! ¡Vete,
chihuaco! ¡Fuera! –le gritó Tunki.

–¡Me voy solo a la montaña, me voy solo a la montaña! –canturreó el ave.

De pronto, Samba saltó de mi bolsillo en dirección
al pajarito, pero este fue más ágil y se alejó volando.

—¿Qué quiso decir el pájaro hablador? –pregunté, desconfiada.

—Él tiene la costumbre de mentir. Cuando el campo está seco, él canta y todos piensan que va a llover, y nada de lluvia. Cuando llueve, él canta y todos suponen que va a salir el sol, y el sol no aparece –explicó Tunki.

—Si le gusta invertir los mensajes... solo puede estar diciendo que no se va solo a la montaña –concluyó Breno, con su razonamiento siempre rápido y lógico–. ¿De qué montaña estará hablando?

De pronto, un hombre con una colorida túnica y un inmenso sol de oro colgado en el cuello apareció caminando por la orilla del río Urubamba. Parecía venir en nuestra dirección.

—¡Por todos los rayos del sol! ¡Es Willka Uma, el Sumo Sacerdote, un hombre muy poderoso! –exclamó Yma, haciendo rápidamente una reverencia.

—¡Inclínense! Hagan la reverencia y él se irá enseguida –murmuró Tunki, temblando de miedo.

El sumo Sacerdote

Sin entender muy bien lo que estaba sucediendo, Breno y yo imitamos lo que nuestros amigos hacían. Con mucha decisión, el Sacerdote vino hasta nosotros, apoyándose en un bastón negro y, en un gesto inesperado, tomó mis trenzas, levantó mi rostro y masculló unas palabras que no comprendí. Asustada, retrocedí algunos pasos para alejarme de aquel hombre extraño. Después vi que este examinaba los cabellos de Yma, como si ella fuese una cría de llama con mucha lana para ofrecer. Entonces, el Sacerdote miró hacia el sol, dijo algunas palabras, se quitó el collar del cuello y lo apoyó en la cabeza de la chica de un modo solemne:

–Puedes enorgullecerte. ¡Tú eres la más reciente elegida del dios Inti y serás tratada como hija del sol! ¡De ahora en adelante, tú servirás al gran emperador inca y vivirás en el palacio de verano, en lo alto de la montaña! ¡Tayta Inti!

–¡Tayta Inti! –repitió Yma, obediente.

–¿Qué está sucediendo, Pilar? –susurró Breno a mi oído.

–¡Creo que ella va a vivir en algún palacio en lo alto de la montaña! ¡El chihuaco nos lo advirtió! –susurré, aún perpleja.

Me quedé intentando imaginar cómo sería el día a día de las hijas del sol. ¿Yma tendría una vida de princesa? Tal vez ella nunca más tuviera que lavar un plato, hacer una cama... ¡Por otro lado, tal vez nunca más pudiese ver a su familia ni acercarse a Tunki! En ese momento, noté que los dos lloraban juntos, abrazados, sin el menor deseo de separarse.

Willka Uma miró con firmeza a Yma y le extendió su mano:

–No llores. ¡Tú has sido elegida por el dios Inti y eso implica un gran honor! Lo sabes, ¿verdad? ¿Estás lista para aceptar tu destino?

Yma asintió, sin decir palabra.

–Por favor, no te lleves a mi Yma –suplicó Tunki.

El Sumo Sacerdote no se conmovió en lo más mínimo y exclamó:

–¡Esta es la voluntad de todos los dioses! Oh, Viracocha, dios Creador, que el mundo esté siempre en paz, que las personas se multipliquen y que nunca falte comida.

Que todo en este mundo crezca y florezca. Ahora vamos, Yma, tenemos que hablar con tu padre.

–Yo... yo vivo con mi tía. No sé quién es mi padre –murmuró ella con voz casi inaudible.

Yma era como yo: ¡*despadrada*! Tampoco conocía a su padre, también parecía estar triste por ello...

–No tienes que preocuparte más. De ahora en adelante, el emperador será como un padre para ti. Ven. Tenemos una larga caminata por delante.

La chica bajó los ojos llorosos y se dejó llevar por el Sacerdote. ¿Cómo podía aceptar aquello? Tomé a mi gato en mis brazos y nos gruñimos el uno al otro, indignados. Una cosa sería que Yma se fuera vivir a lo alto de la montaña por su libre y espontánea voluntad, pero otra, muy diferente, era que tuviera que irse a un lugar aislado por obligación, para cumplir órdenes de quién sabe quién...

¡Inesperadamente, Samba saltó hacia la espalda del Sumo Sacerdote, clavándole sus afiladas garras!

–¡Samba! ¡Regresa aquí! –lo llamé.

Sin ningún tipo de cuidado, el Sacerdote lo tomó por la cola y me examinó con su mirada autoritaria:

—¡¿Qué tipo de animal salvaje es este?!

—¡Es mi gato!

—¡Lo era! Ahora él le pertenece a Inti, el dios Sol, y a su representante en la tierra: ¡el emperador inca! —afirmó.

—¡El dios Sol y el emperador inca que me disculpen, pero Samba es y será siempre mío! —repliqué, intentando sujetarlo nuevamente.

Con su bastón negro, Willka Uma me dio un empujón y, guardando a mi amado felino dentro de su cesto, se fue caminando con Yma por la orilla del río Urubamba.

¡Yo tenía que hacer algo! Jamás dejaría que se llevaran a mi gato lejos de mí. Por su parte, Tunki no conseguía reaccionar ni discutir, solo lloraba en silencio, intentando conformarse.

—¡Ella es muy linda! ¡Yo sabía que algún día sería elegida! Ahora tendrá que vivir en Machu Picchu, sirviendo al dios Inti y al emperador inca, y nunca más saldrá de allí.

—¿Yma va a servir al emperador? ¿De qué modo, Tunki?

—No lo sé, Pilar. ¡Nadie lo sabe! Machu Picchu es una ciudad escondida en lo alto de la montaña, en medio de la selva. Nunca más veré a Yma. ¡Nunca más! –sollozó devastado.

—¡Tenemos que ir tras ella y mi gato! –exclamé, preparándome para seguir al Sumo Sacerdote.

—Ellos van a atravesar el bosque, Pilar. Nadie sabe el camino a Machu Picchu, la Ciudad Sagrada. ¡Llegar hasta allí sin un guía es prácticamente imposible! –se lamentó Tunki.

—¡Prácticamente imposible no es totalmente imposible! –dije muy decidida.

—Hay que intentarlo –insistió Breno.

—Tienen razón. Pero tendremos que pasar varios días en el bosque, enfrentando todo tipo de peligros. ¿Están seguros de que quieren ir? –preguntó Tunki.

—¡*Parpolipopete!* ¡Claro que sí! –exclamé.

Breno yo no titubeamos. ¡Estábamos listos para una nueva aventura!

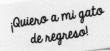

¡Quiero a mi gato de regreso!

DIOS SOL, DIOSA LUNA
Y DIOS VIRACOCHA

INTI – Dios Sol, esposo de la diosa Luna, es el dios más adorado por los incas. Dicen que de su sudor goteó todo el oro encontrado en el Perú. ¡Qué sudor poderoso! Algunos lo llaman Tayta Inti, el Padre Sol.

MAMA QUILLA – Diosa Luna, esposa del dios Sol. Es la diosa de los Casamientos. Dicen que de sus lágrimas emanó toda la plata encontrada en el Perú. El calendario inca se guiaba por la luna y tenía 328 días. Los meses, en quechua, son llamados *quilla*, en homenaje a la luna.

VIRACOCHA – Gran dios Creador. Para los incas, Viracocha habría creado el sol, la luna, las estrellas, el tiempo, los hombres. Es representado con una corona de sol y rayos en las manos. ¡De sus ojos, dicen, brotaría la lluvia!

La ley de la selva

¡Mi mayor miedo era que Willka Uma le hiciera alguna maldad a Samba! ¿Y si decidiera cocinar a mi gato? ¿Y si Samba fuese devorado por algún animal del bosque? Si al menos Yma pudiera cuidarlo por mí... Fue entonces que decidí atar al pequeño Cori a mis espaldas, como se lo había visto hacer a mi amiga. Si ella sería obligada a vivir en Machu Picchu, al menos debería tener a su precioso Cori cerca. Yo estaba decidida a entregar a esa tierna cría de llama nuevamente a su dueña y a recuperar a mi gato, ¡obviamente!

No bien comenzamos a caminar por la orilla del río, noté que la madre de Cori nos seguía. Tunki enseguida me miró, enojado, ya que aquella le parecía una pésima idea:

—Las llamas son lentas, Pilar. Van a retrasarnos. Terminaremos perdiendo de vista a Willka Uma y a Yma. ¡Deja a las llamas aquí!

—No puedo. ¡Yma no va a soportar vivir sin Cori, como yo no aguantaría vivir sin Samba! Él viene con nosotros —dije, muy segura.

Sucede que, a pesar de ser un cachorro, Cori era mucho más pesado que Samba. Además, el camino era resbaloso, lleno de piedras, y teníamos que encontrar un sendero en aquel bosque denso y oscuro, paso a paso, con cuidado. La madre de Cori avanzaba lentamente, pero a un ritmo constante, siguiendo a su cría. Intentamos ir más rápido para encontrar las huellas de Yma y Willka Uma, pero pronto la luz comenzó a disminuir y ya no conseguíamos divisar ningún vestigio de ellos.

Escuché ruidos extraños y tomé la mano de Breno, preocupada. Andar de noche por el bosque no era nada fácil... De pronto, Tunki se detuvo, hizo una señal de silencio y susurró:

—Nos están siguiendo.

Poco después, escuchamos un gruñido aterrador.

—¿Qué fue eso? —preguntó Breno, abriendo bien los ojos.

—¿Ustedes no vieron los ojos brillando en la jungla? ¿No repararon en las huellas? ¿No sintieron el olor de su orina?

—¿De quién, Tunki?

—Hay un puma acechándonos, Pilar. Creo que quiere a Cori.

–Ni hablar –dije, haciéndole un cariño en la cabeza al pequeñito, que se apoyaba en mi hombro. En ese instante noté que este temblaba, muy asustado, percibiendo el peligro.

–¡Pilar, tal vez sea Cori o nosotros! –dijo Breno.

Furiosa, le clavé mis ojos:

–Tú no quieres que entregue a Cori para que el puma cene, ¿verdad?

–¡Eh, calma, Pilar! ¡Esta vez estamos en un gran aprieto! ¡Tenemos que pensar en una salida, juntos!

Breno y yo habíamos llegado a enfrentar a un ocelote en la Amazonia, ¡pero un puma es una fiera mucho más grande y peligrosa! Si saltara sobre nosotros, ¡adiós!

–¡Quietos! ¡No demuestren miedo! –murmuró Tunki, inmóvil.

Dos ojos amarillentos nos miraban fijamente, y todo lo que se me ocurrió hacer fue apretar nuevamente la mano de Breno:

–¡Qué miedo, qué *miedazo*!

–Pilar, pon a Cori en el suelo –dijo Tunki.

–No puedo...

–¡El puma va a saltar sobre ti!

–Haz lo que Tunki te dice, Pilar. ¡Por favor! Por tu bien –insistió Breno, cada vez más nervioso.

–¡Ya sé! ¡Los insectos! ¡Llama a los insectos! –pedí a Tunki.

Con movimientos casi imperceptibles, él enrolló una hoja y comenzó a silbar. Casi enseguida, decenas de animalitos voladores cercaban al puma, que comenzó a golpear con la pata en el aire y hasta en su propio hocico.

–Parece que eso está enojando aún más a la fiera –observó Breno.

–Pero nos va a dar un tiempo para pensar en alguna solución. ¿Qué tal si subimos a ese árbol? –señalé.

–Muy bajo. El puma puede subirlo fácilmente –respondió Tunki, entre un silbido y otro.

Mostrando los dientes, el puma comenzó a avanzar en mi dirección. Miré a Tunki, buscando una alternativa, y escuché a nuestro amigo gritar:

–¡Salten al río! ¡Ahora!

–¡Es muy peligroso! Con solo escuchar el ruido del agua, se puede percibir que posee una corriente fortísima –analizó Breno.

En ese momento sentí una patada en mi hombro derecho y caí al suelo. Breno jaló mi vestido y, poco después, estábamos en aquel río de aguas heladas y peligrosas.

La corriente nos arrastró, mi mano se soltó de la de Breno y tragué mucha agua. Cuando logré salir a la superficie y miré alrededor, Tunki estaba aferrado a un tronco de madera cerca de nosotros. Breno nadaba a mi lado, apoyado en su guitarra, que comenzaba a llenarse de agua, y Cori se sacudía, agitado, atado a mi espalda.

Con gran esfuerzo, Breno y yo conseguimos nadar junto a Tunki y nos sujetamos del enorme tronco.

–¿Dónde está la llama? –pregunté, preocupada.

Solo entonces Tunki nos contó lo que había visto: hambriento, el puma había atacado a la madre de Cori, que no tuvo ninguna chance de escapar.

–No hay nada más que hacer. Es la ley de la selva... –explicó.

–Por lo menos tú estás viva, Pilar. ¡Esta vez fue por poco! –exclamó Breno, pasando la mano sobre mi hombro.

Solo entonces reparé en la herida, que sangraba. Las garras del puma habían dañado mi hombro, que ardía como si se estuviera incendiando. Lastimada, con la corriente llevándonos velozmente por entre las piedras, nosotros solo pensábamos en sobrevivir.

PUMA

Puma es una palabra del idioma quechua.
Los pumas son felinos carnívoros que viven en
los bosques de América, desde el norte, en Canadá,
hasta el sur, en la Patagonia. Llegan a medir
2,70 metros de largo (¡desde la nariz hasta la
cola!) y 80 centímetros de altura. Sus principales
presas son animales pequeños, como aves, liebres
o las llamas y sus crías...

Con sabor a chocolate

¡La corriente nos arrastró bastante tiempo por aquel río de aguas frías que bajaban directamente de los glaciares de la cordillera de los Andes!

Durante su recorrido el tronco al cual estábamos aferrados golpeaba contra las piedras y el riesgo de lastimarnos era constante, pero no teníamos fuerzas para nadar contra la corriente ni para hacer ninguna otra cosa. Entonces, nos dejamos llevar. Hasta que, por suerte, el tronco giró hacia un costado del río y encalló en una piedra.

–Es nuestra oportunidad de regresar a tierra firme. ¡Sube a la piedra, Pilar! ¡Rápido! –mandó Tunki.

Mis amigos me ayudaron a subir y, con mucho cuidado para no resbalar, conseguí alcanzar la orilla junto con el pequeño Cori. Después, extendí una rama hacia Breno, quien saltó a mi lado con su guitarra llena de agua. Cuando estábamos rescatando a Tunki, el tronco se movió. Él cayó al agua, pero se aferró a la rama, y Breno y yo, haciendo muchísima fuerza, conseguimos sacarlo. Desde allí, los tres vimos al troco seguir viaje corriente abajo, golpeando contra las piedras.

Desaté a Cori de mi espalda y, con todo cariño, lo abracé; mientras él temblaba, helado y asustado. Además de cansados y con frío, estábamos hambrientos. Para empeorar las cosas, escuchábamos ruidos aterradores. Felizmente, Tunki sabía cómo encender un fuego, golpeando aquellas bolas que traía siempre atadas en su poncho. ¡Pero él estuvo a punto de causar un problema, cuando sugirió utilizar la guitarra de Breno como leña! Estaba toda mojada, probablemente las cuerdas se oxidarían, pero Breno amaba aquella guitarra como si fuera una amiga y prefirió ir a recoger maderas por el bosque oscuro antes que ver su instrumento destruido.

Decidí ayudarlo y, en aquel lugar inmenso, la tarea no era difícil. Con la fogata ya encendida, dejé de temblar y froté el pelo de Cori, tratando de secarlo. A la pequeña llama pareció gustarle, ya que lamió mi mano varias veces y me contempló largamente, con una mirada muy dulce. Después, llené un cuenco de agua para que Cori pudiera beber. Sin embargo, se negó a hacerlo y cerró los ojos, recostándose en mi regazo. Quizá extrañaba a su madre o a Yma, así como yo extrañaba a Samba. Poco después, se durmió.

Mientras tanto, Breno intentaba aprender con Tunki cómo lanzar las bolas. Con mi estómago gruñendo, me quedé mirando el fuego, analizando todo lo que nos acababa de pasar. ¿Cuántos peligros más aún nos esperaban en ese bosque?

Estaba pensando en ello cuando Breno vino a sentarse a mi lado y colocó su mano cerca de mi hombro lastimado, haciéndome un mimo:

—Te arriesgaste demasiado, Pilar. ¡Creí que ese puma iba a devorarte!

—Por suerte me empujaste al río...

—Fuiste hasta el límite. Eso estuvo realmente cerca...

—Creo que a veces soy un poco cabeza dura, ¿no? Pero no podía dejar al pequeño Cori.

—¡Por lo menos estás viva! —dijo él, abrazándome. La charla fue interrumpida por mi estómago, que emitió un gruñido tan sonoro y largo que hasta parecía una frase. ¡Y nos echamos a reír!—. ¡Tu barriga está queriendo decir algo! —bromeó Breno.

—¡Claro que sí: comida! ¡Algo de comida, por favor!

En verdad ya estaba a punto de desmayarme, cuando escuché que Tunki nos llamaba.

–¡Miren! ¡Una planta llena de cacao! –dijo muy entusiasmado, señalando hacia un árbol.

–Ey, Pilar, ¿qué tal si hacemos chocolate con las semillas de cacao? –sugirió Breno, ¡un verdadero fanático del chocolate!

¡Aquello parecía un regalo! El árbol estaba repleto y tomamos varios frutos amarillos para comer. Sintiendo olor a novedad, Cori se despertó y le di algunas bayas muy ácidas de cacao. Para mi sorpresa, le gustaron. Después de chupar varias bayas también, Breno y yo decidimos intentar preparar un chocolate caliente a nuestro estilo y arrojamos algunas semillas de cacao a la fogata para que se tuesten lo suficiente. Después, sacamos las semillas torradas con una rama y las golpeamos con una piedra hasta dejarlas bien trituradas. Finalmente, agregamos agua y creímos que obtendríamos una chocolatada muy sabrosa y dulce. ¡Qué frustración! Solo conseguimos hacer una bebida terriblemente amarga. Aunque estábamos un poco decepcionados, tomamos todo de un trago y, muy pronto, estábamos nuevamente llenos de energía.

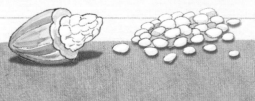

CACAO

El cacao es fruto del cacaotero, una planta de América
del Sur. Su pulpa es ácida ¡y ofrece un buen jugo! Con sus
semillas secas y molidas se hace el chocolate. Estas semillas,
sin embargo, son muy amargas. Los incas tomaban sus
chocolatadas amargas, con agua, como la que probamos
nosotros. Pero para que el chocolate quede con el sabor
que le conocemos actualmente, las semillas deben pasar
por un proceso de fermentación que lleva varios días.
Breno y yo acordamos que un día vamos a fermentar
el cacao ¡y a hacer un chocolate delicioso y dulce!
¡Va a ser una experiencia estupenda! ¡Ojalá que
salga bien!

EMPERADORES INCAS

Mi amigo Tunki me contó que el imperio incaico tuvo varios emperadores y que el primero habría sido Manco Cápac, que reinó alrededor del siglo XII. Después de él, vinieron muchos otros. Estos son los más famosos:

SINCHI ROCA: El segundo emperador. Muy prudente, nunca quiso expandir el imperio incaico, gobernando tan solo la región del Cuzco. Evitó muchas guerras.

LLOQUE YUPANQUI: Es considerado el primer jefe inca nacido en Cuzco. Padre de Mayta Cápac.

MAYTA CÁPAC: Conocido como el más fuerte de los emperadores incas.

PACHACUTI: Fue un gran emperador y prestó especial atención a los cultos y a los lugares sagrados. Tal vez haya sido el responsable de la construcción de Machu Picchu.

ATAHUALPA: Fue apresado y asesinado por el español Francisco Pizarro.

TUPAC AMARU: Fue el último emperador inca y fue asesinado por los españoles, en 1572.

Los emperadores incas

Ya estábamos calentitos y alimentados, pero dormir a la intemperie, pensando en el puma y en las otras fieras del bosque, era imposible. Entonces, Tunki decidió distraernos contando la historia de Mayta Cápac, un antiguo emperador del pueblo inca.

–Mayta Cápac pertenecía a la primera dinastía del imperio incaico. ¡Dicen que él ya nació caminando y con varios dientes! ¡Tenía tanta fuerza que, cuando era un bebé, alzaba a su propia madre en brazos! A los diez años, derrumbaba árboles usando tan solo su dedo índice. En poco tiempo, todos empezaron a provocarlo para que demostrara sus poderes. Y, sin darse cuenta, Mayta se arriesgaba, se exhibía.

–¡Ojalá pudiera ser fuerte como él! –exclamó Breno–. Así, no tendríamos ningún otro problema en el bosque.

Tunki sonrió, concordando, y continuó contándonos su historia. Cuando tenía quince años, el heredero inca fue llevado por su padre, Lloque Yupanqui, al medio de la selva, donde tendría que aprender a domar su fuerza animal. Durante dos días y dos noches, los dos permanecieron solos allí, esperando. Hasta que el tercer día, un puma saltó de una piedra frente a Mayta. El joven no se intimidó: ¡se abalanzó sobre el lomo de la fiera, metió sus manos dentro de la boca del puma y la abrió con todas sus fuerzas, hasta quebrarle las mandíbulas! Poco después, el animal se desplomó y murió.

—¡Vaya, él podría haber perdido sus manos! —comenté, impresionada.

—¡Podría haber perdido la vida! —completó Breno.

—Ese mismo día, Lloque Yupanqui le quitó la piel al puma e hizo una capa para cubrir a su hijo. Así, todo el pueblo entendió que Mayta era fuerte como un puma y él nunca más tuvo que exhibirse ni demostrar su habilidad. Desde entonces, Mayta Cápac comenzó a reinar usando más la cabeza que los brazos y, por ello, fue uno de los emperadores más respetados que tuvimos. Sin embargo, nosotros no somos como él, amigos. Andar por el bosque es arriesgado y aún pueden surgir muchos peligros. Tal vez sea mejor que yo continúe solo tras Yma. Y ustedes pueden regresar no bien amanezca.

—No, Tunki. Nosotros vamos contigo. Después de todo, tú tampoco posees la fuerza de Mayta Cápac, y juntos tenemos más posibilidades de sobrevivir –dijo Breno, muy decidido.

–¿Te olvidaste de que yo también debo rescatar a mi gato? ¡No voy a abandonarlo por nada en este mundo!

–Está bien. Si ustedes realmente lo desean... ¡Vamos todos juntos!

Apenas el sol surgió en el horizonte, apagamos nuestra fogata y retomamos la marcha.

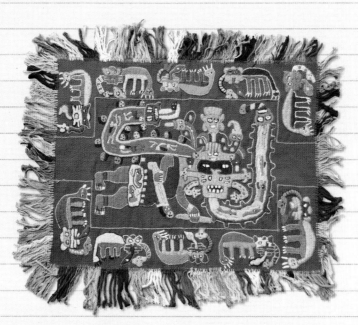

Bordado con Mayta Cápac

¡Arriba!

Después de la aventura por el río, perdimos por completo el rastro de Yma y del Sumo Sacerdote. Para no acabar andando en círculos en medio del bosque, decidimos seguir bordeando el río Urubamba, aún sin saber cómo llegaríamos a Machu Picchu. Por el camino, yo iba tocando mis silbatos de llamar pajaritos, y Breno se encaprichó en ir recogiendo las plumas que caían de las infinitas aves, guardando todas dentro de su guitarra. No sé para qué las guardaba. Tal vez quisiera hacer una almohada suave o algo parecido. Mientras tanto, yo dibujaba en mi bloc algunas de las aves que aparecían volando: tucanes, guacamayos y diversos tipos de colibríes. Uno de ellos era color esmeralda, ¡qué lindo! ¡Y cuántas melodías diferentes!

Cuando el sol alcanzó el cenit, ya estábamos todos con la ropa bien seca e hicimos un alto para descansar. Desaté a Cori de mis espaldas, lo dejé pastar, y él no perdió tiempo: comenzó a mordisquear el césped. Sentada en una piedra cerca de allí, intenté llamar a los insectos nuevamente, como había aprendido con Tunki.

Esta vez, muchos mosquitos aparecieron, girando frente a mí. Conseguí llevarlos hacia un lado, después hacia el otro, hasta logré que fueran hacia Breno, a quien no le causó la menor gracia el nuevo *insectaque*, ¡pues tuvo que escapar corriendo de aquella bandada de insectos hambrientos!

Al rato, escuchamos un trueno. Nubes oscuras dominaban el cielo, se anunciaba una lluvia fuerte y los pajaritos volaban inquietos, buscando refugio bajo las hojas de los árboles. Sin preocuparse por la lluvia, Breno y Tunki entrenaban con las bolas, que servían para hacer fuego y cazar. Breno lo hacía muy bien y se emocionó al enlazar una rama:

—¡Ya estoy listo para una buena cacería en el bosque! —declaró, entusiasmado.

—No lo sé. ¡Enlazar un animal en movimiento es mucho más difícil que acertarle a un blanco fijo! —respondió Tunki.

—¡Puedo intentarlo con Cori! —bromeó Breno, provocándome.

—¡Ni lo pienses! Estas piedras pueden quebrar sus patas y...

Justo en ese instante, miré a nuestra mascota y noté que debajo del mato en el que pastaba había algunas piedras muy bien ordenadas.

—¡Eh! ¡Vengan a ver esto! ¡Creo que Cori encontró un camino de piedras!

Tunki dejó lo que estaba haciendo y fue a examinar aquello:

—¡Es una escalera! Tal vez sea un sendero secreto hacia Machu Picchu.

—¡Ojalá lo sea! —exclamó Breno, esperanzado.

Tunki nos contó que el camino hacia Machu Picchu estaba camuflado a propósito para brindarle mayor seguridad al emperador inca, quien pasaba el verano entero en aquellas montañas. Aun viendo las piedras alineadas, no estábamos seguros de si estábamos en el camino correcto. Además, subir un monte, en medio del bosque, ciertamente sería más arriesgado que continuar bordeando el río Urubamba. De pronto, Tunki se acercó a una piedra inmensa y comenzó a conversar con ella:

—¡Dios Apu, dios de las Montañas, oriéntanos, por favor!

Al ver aquello, Breno no resistió y me miró, con su aire crítico de siempre:

—Pilar, conversar con una piedra no va a ayudarnos en nada. ¿Qué camino vamos a seguir si hasta Tunki parece perdido?

—Ah, Breno, a lo mejor él sabe hablar *pedrés*, el idioma de las piedras.

—¡Lo dudo! —respondió.

De pronto, vi un papelito y me levanté de un salto:

—¡Mira, Breno! ¡Una pista! Alguien pasó por aquí y dejó caer esto...

Al alisar el papel, apenas pude creer lo que veía:

—¡Samba! ¡Mi gato estuvo aquí! ¡Él está vivo!

—¿Cómo lo sabes, Pilar?

—¡Mira! ¡Este papel tiene mi letra para la canción!

Se lo mostré a Breno, quien también se impresionó. ¡Estaba sucio, realmente asqueroso, pero era una pista estupenda!

—¡Muy bien, Samba! ¡Escupiste el papel en el momento exacto! —bromeó.

—¡Yma y mi gato no deben estar lejos! —dije, ¡loca por ir tras ellos!

—Gracias por la señal, dios Apu —exclamó Tunki.

Breno respiró hondo para no decir lo que pensaba.

—Entonces, ¿empezamos a subir? —pregunté, ansiosa.

—Sí, Pilar. Pero, antes, es mejor que ustedes masquen un poco de estas hojas, pues el esfuerzo será grande... —nos advirtió Tunki, ofreciéndonos más de aquellas hojas amargas.

Subimos despacio, escalón por escalón, sin conversar mucho. La escalera era empinada y la altitud hacía que mi corazón se disparase. Tuve miedo de que mi asma volviera y decidí controlar la respiración contando la inspiración y la expiración. La técnica, felizmente, funcionó. Cuanto más subíamos, la vista se revelaba más deslumbrante. Allá abajo, el río corría veloz, cortando el bosque. En un instante, una neblina tapó la vista y cayó otro fuerte chubasco. Paramos para guarecernos debajo de un árbol, pero fue inútil. ¡Nos empapamos! Cuando cesó la lluvia, vimos a un pájaro anaranjado con alas negras posarse en una de las ramas del árbol. Primero, dibujé al pajarito en mi bloc. Después, tomé uno de mis silbatos y comenzamos a cantar a coro.

—Eh, Pilar, ¿sabías que esa ave se llama Tunki? Mi nombre es en homenaje a él —dijo nuestro amigo, muy orgulloso.

—Si este pájaro no es embaucador como el otro, apuesto a que el sol va a volver muy pronto —observó Breno. Toqué mi silbato muchas veces y reímos al ver cómo la avecilla se posaba sobre el gorro colorido de Tunki. Después de todo, aquel realmente parecía un nido muy confortable. Poco después, tal como Breno había adivinado, el sol volvió a aparecer y, con él, un bellísimo arco iris. ¡No uno, dos! ¡Qué *coloreza*! Yo nunca antes había visto un arco iris doble. Me puse tan feliz y animada con aquella imagen que me levanté, llena de esperanza. ¡Tenía que encontrar a Samba vivo!

Continuamos el ascenso y pronto fuimos cubiertos por una bruma blanca. ¡Eran nubes! ¡Estábamos en medio de ellas! A mí, aquellas montañas inmensas me parecían verdaderas creadoras de nubes. Subimos, subimos, subimos y, al caer la tarde, yo ya no aguantaba más cargar a Cori. Coloqué a la cría de llama en el suelo y me senté, exhausta.

Tunki, sin embargo, siguió caminando:

—Tenemos que subir todo lo que podamos antes del anochecer y encontrar algún refugio seguro —explicó.

—Vamos, Pilar, ven —Breno me extendió su mano y lo seguí.

De vez en cuando, él se detenía para recoger algunas plumas de pajaritos. Cuando el sol comenzó a ponerse, vi un césped muy verde y no resistí: me dejé caer en el suelo. ¡Era el final del trayecto! No conseguía dar un paso más. Sentía un enorme *cansatamiento*, una mezcla de cansancio con agotamiento. Esta vez, mis fuerzas habían llegado al límite y me invadió una especie de desesperanza:

—¿Me prestas las plumas que coleccionaste, Breno? ¡Creo que voy a hacer una almohada y quedarme exactamente aquí!

—Nada de eso. Tenemos que avanzar, Pilar. ¿Dónde está tu entusiasmo de siempre?

—Lo perdí por el camino. Mis piernas no dejan de temblar.

Mi mayor miedo era volver a tener un maldito *atasma*. No podía enfermarme en las alturas, lejos de todo y de todos. Una vez más, mi técnica de contar la respiración me ayudó:

—Uno, dos, tres, cuatro. Cuatro, tres, dos, uno.

Inti Punku

Cuando me cansé de contar mi respiración, decidí contar los escalones de la subida. Iba por el 389, cuando Tunki gritó, señalando:

–¡Miren! ¡Una casa de piedra!

¡Aquello parecía un espejismo! ¡Apenas podía creerlo! Para ayudarme, Breno tomó al pequeño Cori y lo cargó montaña arriba. Tunki iba al frente, saltando los escalones de dos en dos, mientras que, para nosotros, el aire parecía escasear. Satisfecho con su descubrimiento, él llegó rápidamente hasta la casa y exclamó:

–Buenas noticias, amigos. Llegamos a Inti Punku, lugar conocido como la Puerta del Sol. Creo que estamos muy cerca de Machu Picchu. ¡Vengan!

Inti Punku debía ser una parada estratégica para quien caminaba rumbo a Machu Picchu, pues dentro de aquella casa con paredes de piedra, cubierta de paja, había unos colchones. ¡Qué lujo! ¡Esta vez, dormiríamos bien! Y no solo eso: ¡Tunki encontró un jarrón de barro con quinoa, un grano peruano muy sabroso, mezclado con maíz y maní!

Quinoa real

Quinoa roja

Quinoa cocida: ¡qué *delisura!*
¡*Delics!* ¡*Delócs!* ¡*Delux!*

Terrazas de la Agricultura

50 PERÚ

QUINOA

Especie de grano muy nutritivo, consumido desde hace más de dos mil años por los pueblos andinos, según estudios arqueológicos. La quinoa era considerada por los incas como la madre de todos los granos y hoy sabemos que la quinoa negra tiene un 19% de proteínas. ¡Supernutritiva! Algunas bolitas parecen estallar en la boca. Son muy pequeñitas y se parecen al cuscús marroquí. ¡Una *delisura* absoluta!

–Prueben. Esta quinoa es el alimento favorito de los emperadores y de los sacerdotes. ¡Dicen que tiene poderes creativos y mágicos!

–Epa. Vamos a llenarnos de ideas –me entusiasmé.

–Pero... ¿Esta quinoa la habrá dejado el Sacerdote? –preguntó Breno.

–Tal vez Yma y él pasaron por aquí y les sobró un poco. Aprovechemos –sugirió Tunki.

No tuvo que insistir: devoramos la comida.

Tunki estaba tan feliz de haber encontrado Inti Punku que empezó a hablar sin parar, mientras yo pensaba solo en dormir. Breno, por su parte, examinaba su colección de plumas, como si alguna idea extravagante estuviera tomando forma en su cabeza de inventor. ¿Sería el efecto de la quinoa?

–Ahora cuéntame: ¿qué piensas hacer con todas esas plumas que estás coleccionando? ¿Una almohada? ¿Un tocado?

–Una experiencia arriesgada. Nunca vas a adivinarlo.

–¿Qué tal un calzado deportivo completamente forrado de plumas? Mis pies están llenos de ampollas y adorarían ese invento.

—Nada de eso. Y es inútil que insistas porque, de momento, no voy a contarte.

Pensé en un abrigo, un edredón de plumas, después no conseguí imaginar nada más. Me estiré sobre uno de los colchones y me adormecí. Poco después, creí que estaba teniendo una pesadilla, pues escuché al Sumo Sacerdote hablando con Yma:

—¡Ven! Después de agradecer al dios Inti por el día de hoy, necesitamos comer y descansar. Mañana llegaremos a Machu Picchu.

¡Pero aquello no era una pesadilla! ¡Era realmente la voz de Willka Uma! Sin perder tiempo, Tunki nos arrastró fuera del refugio y nos escondimos detrás de la pared de piedra, antes de que el Sumo Sacerdote nos viera.

Saludo al sol

Adiós, noche con cama. Adiós, refugio. Una vez afuera, Tunki nos habló en voz baja, muy preocupado:

—Willka Uma va a identificar todas las señales que dejamos. Seguramente ya notó que estamos cerca. Pilar, ¿dónde está el pequeño Cori?

Atontada por el sueño, había olvidado a la cría de llama dentro del refugio. Sin hacer ruido, espié por una rendija del muro para ver lo que estaba sucediendo adentro y vi que Willka Uma indagaba a nuestra amiga, queriendo descubrir lo imposible:

—Habla, Yma: ¿tú sabes quién nos está siguiendo? No me mientas. ¡Yo siempre percibo todo! ¡Cuéntame la verdad, vamos!

—¡No lo sé! ¡Juro que no lo sé, gran Willka Uma, créeme, por favor!

—¿Cómo que no lo sabes? ¿Quién trajo a esta llama hasta aquí? ¿Quién se comió nuestra comida? Habla, vamos.

Antes de que algo le sucediera a Yma, les hice una señal a Tunki y a Breno, avisándoles:

–¡Voy a entrar nuevamente en el refugio y a decir que fui yo quien estuvo allí!

–¿Estás loca, Pilar? ¡Si entras ahí, serás llevada a servir al emperador inca también! ¡Y te quedarás en la Ciudad Sagrada para siempre!

–Breno, tengo que ayudar a Yma y quiero recuperar a mi gato. Espero que ustedes dos continúen siguiéndonos y que... ¡logren sacarnos de allí! Cuento con ustedes, ¿está bien? ¡Hagan algo!

–¡¿Hacer qué?! ¡Ya te dije que ninguna de las elegidas por el dios Inti salió jamás de Machu Picchu! –argumentó Tunki, asustado.

–¡Coman más quinoa y pónganse muy creativos! ¡Confío en ustedes y sé que encontrarán una solución! –exclamé. Sin perder más tiempo, volví al refugio, lista para enfrentar al Sumo Sacerdote–: ¡Suelta a mi amiga! ¡Y devuélveme a mi gato! Por cierto, ¿se puede saber dónde está Samba?

¡Willka Uma me miró muy sorprendido, sin poder creer en lo que veía, o sea, yo!

–¿Qué estás haciendo aquí? Tú no has sido elegida por el dios Inti. ¿Cómo has venido a parar a lo alto de esta montaña?

–¡Ya te lo he dicho: quiero a mi gato de regreso!

Temblando de pies a cabeza, Yma me preguntó, tímidamente:

–Pilar, ¿tú has traído a Cori?

–¡Claro! Creí que no soportarías estar sin tu cría de llama. Así como yo no puedo vivir sin mi gato. A propósito, ¿alguien puede decirme dónde está?

Yma miró discretamente hacia el cesto de Willka Uma y corrí para abrirlo. Allí estaba mi amado Samba, con una espiga de maíz entre las patas, somnoliento, como si nada estuviese sucediendo... ¡Qué alivio! Le hice un mimo en su suave pelaje y lo coloqué en mi superbolsillo:

–¡Travieso! Casi te pierdes para siempre, ¿lo sabías?

Poco después, Cori vino a lamer mi mano y Samba maulló, celoso. Percatándose del peligro, Cori retrocedió e Yma lo tomó en sus brazos y le rascó suavemente la cabecita. Aun en la oscuridad, pude notar que sus ojos estaban llenos de lágrimas.

–Gracias por traerme a Cori, Pilar.

–Y gracias por cuidar a Samba, Yma.

Nuestra charla fue interrumpida por el Sacerdote, que me miraba fijamente.

—Tú no eres de estas tierras, has venido desde lejos. No sé qué es lo que buscas, pero vives viajando... —dijo, estudiándome, como si intentara descubrir mis pensamientos.

Un poco angustiada por aquel intento de adivinación, me quedé inmóvil, mirando a mi gato, sin decir nada.

EL SUMO SACERDOTE

Willka Uma, a veces llamado Willaq Umu, era considerado el gran intermediario entre el pueblo inca y el dios Sol. Dicen que hasta tenía poderes de adivinación. En el imperio incaico, el Sumo Sacerdote era la segunda persona más importante del reino, por debajo tan solo del emperador. ¡Por eso nadie se atrevía a desobedecer sus órdenes!

–Tal vez puedas ser de utilidad, podrías contarle al emperador lo que has visto en otros lugares. Pero ya basta de charla. Si has venido hasta aquí, el dios Inti debe tener algún plan especial para ti. Mañana conversaré con los dioses sobre eso. Ahora, traten de dormir, pues nos despertaremos antes de que salga el sol y vamos a tener un día muy importante –dijo el Sacerdote.

Yma secó sus lágrimas y nos sonreímos mutuamente sin saber lo que nos depararía el día siguiente. Afuera, una nueva lluvia se desató de golpe; Breno y Tunki seguramente acabarían totalmente empapados, pero no podía hacer nada. Cansada como estaba, me desmayé sobre uno de los colchones. Samba se acurrucó a mi lado y me dormí como un tronco. El descanso, sin embargo, duró poco. Antes del amanecer, Yma y yo fuimos despertadas por Willka Uma:

–¡Levántense! ¡Vengan! ¡Tenemos que saludar la llegada del dios Sol!

Ahora yo no soltaba a mi gato por nada del mundo y lo acerqué a mí antes de que el Sumo Sacerdote iniciara un ritual lleno de cantos, levantando sus brazos hacia el sol naciente:

–¡Concéntrense! El dios Inti está llegando y va a mirarlas como hijas del sol por primera vez. Después, enviará sus rayos dorados para bendecirlas. Repitan conmigo: "Nunca abandonaré el templo. Nunca desobedeceré la voluntad del dios Inti, que me será transmitida siempre por el Sacerdote".

Confieso que repetí aquellas palabras con los dedos cruzados a mis espaldas, ¡obviamente! Pero noté que Yma repetía todo obedientemente, con una mirada perdida, distante. Aquellos eran nuestros últimos momentos antes de entrar en Machu Picchu y sentí un poquito de miedo. ¿Y si nunca más saliéramos de allí?

La Montaña Sagrada

Yo quería contarle a Yma que Tunki estaba cerca, pero, tensa como estaba, percibí que sería mejor mantener el secreto. Entonces, después del saludo al sol, tomamos el cesto del Sumo Sacerdote y seguimos por entre los arbustos del bosque. Llegamos a un sendero plano, hecho de piedras, y mis pies molidos de cansancio lo agradecieron. ¡Por fin, un camino tranquilo y fácil!

Ya debíamos estar muy cerca de nuestro destino, porque Willka Uma caminaba cada vez más rápido, y tuve que acelerar el paso para seguir su ritmo. Cori iba atado a las espaldas de Yma, mientras que mi amado Samba continuaba acurrucado en su lugar favorito: el superbolsillo de mi vestido. ¡Qué bueno tener a mi gatito de regreso, junto a mí!

Subimos un poco más por el camino pavimentado y, a nuestro lado, noté un inmenso precipicio. Como había llovido, el terreno estaba resbaladizo y había que tener cuidado. Al oír el sonido de los pajaritos, me detuve para buscar mi bloc de dibujos, pero Samba también escuchó las piadas y, sin poder contenerse, saltó del bolsillo, y quedó colgado de una rama, a la orilla del precipicio. Asustada, solté el bloc y grité:

—¡Quédate quieto, Samba! ¡No te muevas!

En ese momento, sentí al Sumo Sacerdote apretar mi hombro lastimado, diciendo con su voz firme y grave:

—Esta montaña es sagrada. Tenemos que caminar en silencio, ¿entendido?

—Pero mi gato...

—¡Sujeta ya mismo a ese animal y nunca más te atrevas a perturbar la paz del emperador inca!

No bien él se alejó, tomé una rama seca del suelo y la extendí hacia Samba, quien se aferró a ella y regresó a mis brazos. Una vez a salvo, lo empujé hasta el fondo del bolsillo, rogando que se quedara quieto de una buena vez y que no hiciera más travesuras.

Reparando en mi hombro lastimado, que había vuelto a sangrar, Yma tomó unas flores, las colocó sobre una piedra y miró al cielo, pidiendo ayuda:

—Oh, Creador, dios Viracocha, ¿dónde estás? ¿En lo alto del cielo? ¿Bajo las nubes? Por favor, ayuda a mi amiga Pilar a curarse y acepta esta ofrenda, dondequiera que estés.

La herida se veía mal y me gustó la preocupación de Yma para conmigo, pero hay problemas que las palabras no curan, desafortunadamente. Tal vez necesitaría ponerme algún remedio allí. Busqué un frasco de yodo en mi superbolsillo, y solo encontré uno de perfume. ¡Le pedí a Yma que dejara caer unas gotas en la herida y eso ardió muchísimo! Esta vez, sin embargo, cerré mi boca y me tragué el dolor. Todo para no perturbar la famosa paz del emperador...

Algunos escalones más hacia arriba, algunos escalones más hacia abajo y... ¡nos detuvimos, boquiabiertas! ¡Ya podíamos ver Machu Picchu desde lo alto y era realmente impresionante! ¡Qué naturaleza exuberante!

Cerca de una gran piedra, el Sumo Sacerdote abrió los brazos, miró al cielo, mantuvo en alto su collar de oro y saludó al dios Sol:

—Tayta Inti, que tus rayos dorados iluminen nuestros campos, nuestros árboles, nuestros animales; que todos vivan en paz; que nuestro pueblo se multiplique; que nunca nos falte comida; que tus rayos dorados iluminen a nuestros gobernantes; que nunca nos falte fuerza; y que tus rayos dorados estén siempre presentes en nuestras vidas.

Luego, comenzó a entonar una canción que Yma conocía y que canturreó con él. Era una melodía tranquila y delicada, y, mientras ambos cantaban, cerré los ojos, abriendo bien los brazos, dejando que el calor elevara mi temperatura. Qué bien se sentían los rayos del sol de la montaña en mi rostro. Hasta Samba se estiró hacia afuera del bolsillo, aprovechando aquel calorcito agradable.

Machu Picchu estaba enclavada en lo alto del monte, con el río serpenteando a sus pies. Era imposible no quedar deslumbrada con aquella ciudad construida sobre un terreno empinado, cortado en escalones, con 360 grados de vista hacia las montañas y los bosques. Allí arriba, el emperador inca debía sentirse realmente en la cima del mundo.

Cuando terminó de cantar, Willka Uma nos señaló la entrada a la ciudad, la Plaza Principal, la Casa de las Acllas, el Templo del Sol, el Palacio del Emperador, el Templo del Cóndor y hasta las Mazmorras, para quienes desobedecieran las reglas del lugar.

Junto a las construcciones, había plantaciones de quinoa, pimienta, mandioca, maní o cacahuate, guayabos, aguacates, cacaoteros. Iniciamos el descenso hacia la ciudad, mientras que el Sacerdote nos informaba acerca de las diversas tareas realizadas allí por las acllas: algunas teñían la lana, otras trabajaban el barro, sembraban, cosechaban.

El movimiento era intenso y, cuando llegamos frente al inmenso portón que protegía Machu Picchu, Willka Uma golpeó con su bastón cinco veces, con algún espacio entre cada golpe, como si fuera un código. Enseguida, una portezuela se abrió. El Sacerdote mostró su collar con el sol de oro e inmediatamente dos guardias abrieron el pesado portón de madera para que ingresáramos a la Ciudad Sagrada.

¡Nada de bolsas de plástico! Para transportar alimentos y objetos, el pueblo andino usa lindos aguayos de tela.

MACHU PICCHU

¡Uno de los lugares más bonitos que vi en mi vida! Ubicada en la cumbre de un monte, a 2.430 metros sobre el nivel del mar, esta Ciudad Sagrada queda a 80 kilómetros de Cuzco, la gran capital del imperio incaico. Dicen que fue construida por el emperador Pachacuti (quien vivió entre 1438 y 1472) y que habría sido abandonada después de la llegada de los conquistadores españoles. Machu Picchu fue redescubierta en 1911, por el estadounidense Hiram Bingham. En 1983, fue declarada Patrimonio de la Humanidad. Hoy nadie vive allí. Es una especie de museo a cielo abierto que puede ser visitado por todos. ¡Imperdible!

Machu Picchu

En la misma entrada a la Ciudad Sagrada, Yma y yo fuimos recibidas por una muchacha llamada Lasak que nos ofreció un jugo de camu camu, una fruta pequeña que yo nunca había probado. Su sabor me pareció bastante ácido, pero mi sed era tanta que lo bebí todo.

Después de presentarnos, Willka Uma le ordenó a Lasak:

—Muéstrales la casa de las acllas a las recién llegadas. Ofréceles comida y lleva a ambas para que se bañen en la fuente. Quiero que estén listas pronto, ya que hoy mismo serán presentadas al emperador.

—¡Sí, Sacerdote!

Bajamos una larga escalinata siguiendo a Lasak y, por el camino, había varias casas, todas construidas en piedra con techo de paja. Le eché un vistazo a una de ellas y percibí que allí se guardaban las cerámicas del emperador, todas lindísimas. Estaba a punto de examinar una jarra, cuando Yma rápidamente me sacó de allí:

—Es mejor que no hagamos nada incorrecto aquí, Pilar. ¡Estamos en Machu Picchu!

—¡Solo quería mirar un poquito las cerámicas! Tendrías que verlas. ¡Uno de los jarrones parecía un pájaro! ¡Y había un plato con forma de cóndor y una fuente enorme con un puma en la tapa! Una cerámica más linda que la otra...

—Nosotras hacemos los jarrones, los platos, las fuentes, todo lo que el emperador toca o usa. Todos sus objetos deben ser fabricados por nosotras, las acllas del dios Sol —nos contó Lasak—. Y son bañados por los rayos de la mañana, antes de ser utilizados.

—¡Vaya! Ustedes deben trabajar bastante.

—Mientras trabajo, no siento que pase el tiempo, Pilar. Estar quieta es peor...

—¿Estás aquí desde hace mucho tiempo, Lasak?

—Estoy aquí hace tantas lunas que ya ni lo recuerdo. Al principio es más difícil. Se extraña a la familia, a los amigos, pero ahora ya me acostumbré. Soy una de las bordadoras favoritas del emperador y hago mantos muy especiales para él. ¿Quieren ver uno?

¡Claro que queríamos! En ese mismo momento, Lasak nos llevó a una casa donde tejían y bordaban prendas lindas, muy coloridas y llenas de dibujos alegres. ¡Algunas hasta tenían hilos de oro! ¡Qué hermosas!

—¿Puedo probarme este manto, Lasak?

—No, Pilar. Esto pertenece al emperador. Elegiré unas ropas para que ustedes vistan.

Mientras separaba vestiduras y mantos para nosotras, Lasak nos preguntó si sabíamos teñir, sembrar o trabajar el barro. Como desde hace rato yo soñaba con tomar clases de cerámica, enseguida me postulé para trabajar con las ceramistas, mientras que Yma se encargaría de hilar y teñir los pelos cortados a las llamas, alpacas y vicuñas.

De hecho, la ciudad estaba repleta de llamas y alpacas, y el pequeño Cori, más que todas nosotras, parecía sentirse en su casa. Después de todo, lo que sobraba era césped bien verde para que pudiera pastar.

Cochinilla

Dedal de plata

Chilca, para obtener el
color amarillo o verde

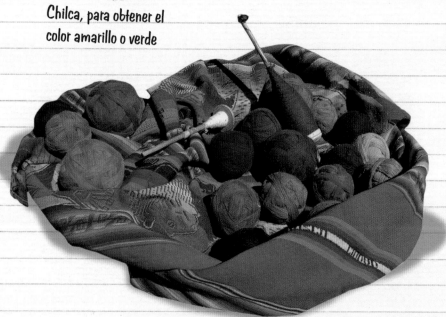

ROPAS Y COLORES

Las vicuñas son animales que viven salvajes por los campos, por eso no es tan fácil esquilar su pelo. Solo las vestiduras del emperador y del sacerdote se hacían con su lana. Las prendas cotidianas de la mayor parte de la población eran confeccionadas con lana de llama. Y las vestimentas de alpaca se otorgaban como un presente especial a guerreros o aliados políticos del emperador. Para teñir sus ropas con los colores más encantadores del mundo, los incas usaban de todo: hojas de chilca, para obtener el amarillo o el verde; el fruto del añil para el azul; hojas de eucalipto para el color café; y hasta un insecto parásito llamado cochinilla, que vive en las hojas de los cactus, y que después de secado y molido genera un pigmento rojo. Una tonalidad más linda que la otra. ¡Qué *coloreza*! Son plantas tan bonitas e importantes que en Cuzco existe hasta un museo de plantas sagradas, mágicas y medicinales.

Samba continuaba agitado como siempre. Bastó con que entráramos en la casa de las acllas para que él escapara de mi bolsillo, de un salto. Poco después, ya había enterrado el hocico en una pila de espigas de maíz. Ah, este goloso... Antes de que se metiera en un nuevo problema, lo tomé en mis brazos, donde se quedó jugando con la espiga, muy contento. Solo entonces percibí que Lasak lo miraba fijamente como si nunca hubiera visto un gato en su vida.

—¡Qué animalito interesante! Creo que al emperador le va a gustar tu regalo.

—¿Regalo? No, Lasak, este gato es mío y va a seguir siéndolo.

—¡Pilar, debes entender que aquí todo pertenece al emperador!

A toda prisa, escondí a Samba nuevamente en mi superbolsillo. No bien lo hice, apareció el Sacerdote.

—¡Por todos los rayos del sol! ¡¿Aún no están listas?! ¡Vístanse ya! —gritó Willka Uma.

CAMU CAMU

Fruta amazónica de la familia de las jaboticabas. Su nombre científico es *Myrciaria dubia*. Rojiza o negra por fuera, es blanca y ácida por dentro. Tiene mucha más vitamina C que las naranjas, y su arbusto puede alcanzar los ocho metros de altura. ¡El jugo es ácido, pero muy vitamínico!

El emperador inca

¡Tuvimos que vestirnos muy deprisa! Lasak nos mostró las ropas que había elegido para nosotras: mantos rosados, faldas negras con tiras coloridas, plisadas. Y sujetamos nuestros cabellos con dos trenzas que se unían en las puntas, formando una U. ¡Nunca había vestido tan alegre! ¡Me encantó! Me puse la falda por encima de mi vestido y eché el manto colorido a mis espaldas. ¡No había espejos allí, pero estaba segura de verme linda! Apenas estuvimos listas, Willka Uma nos llamó para que saliéramos.

–Vengan a conocer la ciudad en la que van a vivir. Este es un templo de paz. Así que, nada de correr, gritar o perturbar la calma del emperador. ¿Entendido?

Movimos nuestras cabezas afirmativamente sin pronunciar palabra. Después, Yma y yo seguimos al Sacerdote por una escalinata inmensa hasta el Templo de las Tres Ventanas. La vista desde allí era deslumbrante y Willka Uma nos señaló las construcciones de Huayna Picchu, en la montaña que estaba frente a nosotras, conocida como Montaña Joven. Por su parte, Machu Picchu, según supimos, era llamada Montaña Vieja.

SENDERO HACIA HUAYNA PICCHU ("MONTAÑA JOVEN")

PIEDRA SAGRADA

INTIHUATANA
(PIEDRA QUE INDICA LOS SOLSTICIOS,
USADA PARA PLANEAR EL CICLO
DE LA AGRICULTURA)

PLAZA CENTRAL

TEMPLO DE LAS
TRES VENTANAS

TEMPLO PRINCIPAL

PLAZA
SAGRADA

CASA DEL SUMO
SACERDOTE
WILLKA UMA

CASA DEL GUARDIÁN

ALTAR DE LOS SACRIFICIOS

CEMENTERIO

SENDERO HACIA
MACHU PICCHU ("MONTAÑA VIEJA")

Machu Picchu

CASAS DE TEJEDURÍA

CASAS DE PRODUCCIÓN
DE CERÁMICA

PALACIO REAL

TERRAZAS PARA LA AGRICULTURA

TEMPLO DEL CÓNDOR

FUENTE RITUAL

MAZMORRAS

CLAUSTRO
DE LAS ÑUSTAS

TEMPLO DEL SOL
(VENTANAS ALINEADAS
CON EL SOL NACIENTE
EN LOS SOLSTICIOS DE
INVIERNO Y DE VERANO)

SENDERO HACIA EL CAMINO DEL INCA
E INTI PUNKU (PUERTA DEL SOL)

De pronto, el sol desapareció y se desató una lluvia de gotas enormes, ¡de esas que solo caen en los bosques tropicales! ¡Cómo llovía en ese lugar! Sin embargo, ahora yo ya sabía que las lluvias nunca duraban mucho. Y, mientras esperábamos que pasara, el Sumo Sacerdote nos contó sobre el origen del pueblo inca:

–De tres ventanas como estas, surgieron tres naciones: los Maras, los Tambos y los Ayar. Estos últimos nacieron de la ventana del medio, que estaba completamente revestida en oro. El mayor de los hermanos Ayar fue llamado Manco Cápac. ¡Y Cápac quiere decir "rico", "nacido de la ventana de oro"! Todos nuestros emperadores son descendientes de Manco Cápac y del dios Inti.

Yo nunca había visto a nadie nacer de una ventana, pero no tuve tiempo de preguntarle nada al Sumo Sacerdote, puesto que Lasak se presentó apresurada, llamándonos:

–Dejó de llover y el emperador ya está en la Plaza Principal. ¡Vengan rápido!

Subimos un centenar de escalones y llegamos a lo alto de la ciudad, donde el gobernante inca comía cacahuates. Hicimos una larga reverencia y nos sentamos frente a él sobre una manta bordada con dibujos de llamas. Ubicado en su trono acolchado con piel de alpaca, él solo se mostraba interesado en devorar la fuente de maníes, mientras una aclla lo abanicaba, otra lavaba sus pies en un recipiente de oro y cuatro guardias se encargaban de su seguridad. No había forma de no mirar al emperador: en la cabeza, traía una corona de oro con muchas plumas coloridas. En el pecho, usaba un collar con un sol de oro macizo y en la cintura, un inmenso cinturón dorado, que resplandecía, encandilando la vista de todos. ¡Cuánto oro! ¡Esas vestiduras debían pesar kilos y kilos! ¡No sé cómo podía subir y bajar tantos escalones usando todo aquel oro!

Cuando el emperador finalmente terminó de comer, el Sumo Sacerdote nos presentó:

–Majestad, estas son las nuevas acllas que acaban de llegar a la Ciudad Sagrada.

Entonces, él se levantó y se fijó en nosotras, que también nos pusimos de pie para ser examinadas. Una vez más, yo no desperté mucha atención. En cambio, para sorpresa de todos, el líder inca se mostró visiblemente impresionado con Yma:

—Tú me recuerdas a alguien... ¿Cuál es tu nombre, jovencita?

—Majestad, yo... yo... —tartamudeó un poco. Y, cuando iba a responder, Samba echó todo a perder, saltando de mi bolsillo sobre el tocado del emperador.

¡Qué desastre! ¡Se armó un griterío! ¡Un revuelo! Un alboroto terrible. Intenté llamar a mi gato para que regresara, levantando mis brazos:

—Ven aquí, Samba. ¡Eso no es un pajarito, es solo un tocado!

Pero, antes de que yo consiguiera sujetar a mi felino rebelde, el tocado ya había caído al suelo junto con Samba. Un silencio sepulcral se apoderó de la plaza y noté que todos miraban en mi dirección, horrorizados. En ese momento, no tuve ninguna duda:

—¡*Parpolipopete*! ¡¡Estoy en problemas!!

La mazmorra

Mientras las acllas colocaban el tocado nuevamente en la cabeza del emperador, el Sumo Sacerdote me fulminaba con sus ojos. Enojado, me tomó de las trenzas:

—¡Muchacha terrible! —me gritó—. Lo que has hecho fue muy descortés con el emperador.

—Perdón, mi gato es un poco *salvitado*... —dije. Quise explicar que él tenía un carácter salvaje y agitado, pero fue inútil.

Samba ahora colgaba sostenido de su cola, en manos del emperador, que me miraba exaltado:

—¿Qué clase de animal es este? Nunca vi nada igual.

Antes de que pudiera responderle, Willka Uma dijo:

—Es una criatura salvaje. Un regalo de esta nueva aclla, que vino desde lejos, para Su Majestad.

—Parece que no tiene mucha carne... Tal vez ni siquiera sirva como ofrenda para los dioses —observó, y arrojó a mi gato dentro de un cesto profundo, del cual difícilmente podría salir por sus propios medios.

—Esto no tendría que haber sucedido —susurró Yma, nerviosa, a mi lado.

—¡Debemos recuperar a mi gato! Antes de que termine en una olla.

—Ni siquiera pienses en hacer algo, Pilar. La situación no está nada buena para ti...

Apenas ella terminó de hablar, el emperador me señaló como si fuera más insignificante que una pulga:

—¿Quién es esta desconsiderada, Willka? ¿Cómo vino a parar aquí, a mi palacio de verano?

—Perdón, Su Majestad. Esta muchacha vino con la otra, por error. Pero no volverá a perturbar su paz. Me encargaré de eso personalmente —respondió. Luego llamó a dos guardias y les ordenó—: Lleven a esta aclla a la mazmorra. ¡Algunos años de encierro le harán muy bien!

—¡Déjenme! ¡Suéltenme, *parapetelungos*! —grité, pataleando.

Hice de todo para liberarme, pero no tuve escapatoria con esos hombres inmensos sujetándome, uno de cada lado. Uno de ellos apretó justo en la herida de mi hombro y, después de eso, creo que me desmayé por el dolor. Cuando desperté, estaba en una especie de caverna, presa tras las rejas.

—¡Sáquenme de aquí! ¡Denme a mi gato! ¡Bronca! *¡Broncaza!* —grité, sacudiendo las rejas, no bien recuperé fuerzas.

De pronto, escuché una voz muy suave a mi lado:

—No te desesperes. Ten calma...

Solo entonces percibí que había alguien más allí. Aun con la tenue luz del sol que iba apagándose, pude ver a una mujer mucho mayor que yo, acurrucada en el suelo. Debía estar en aquella celda desde hacía muchísimos años.

—De nada sirve gritar. Los guardias solo bajan aquí una vez por día para traer la comida. Tendrás que acostumbrarte.

—Nadie puede acostumbrarse a vivir así. ¡Nunca!

Estaba indignada, pero ella poseía una voz dulce y fue calmándome poco a poco. Cuando quiso saber sobre mí, le dije mi nombre, le conté acerca de mi gato y también sobre los peligros que Breno, Tunki y yo habíamos atravesado para llegar hasta allí. Después, ella me contó cosas de su vida y me enteré de que se llamaba Cusi Coyllur. Con mi curiosidad siempre a flor de piel, le pregunté:

—¿Por qué estás encerrada aquí?

—Es una larga historia, Pilar... —dijo. Y, para mi sorpresa, empezó a contarme una historia de amor tan bonita como triste—: Hace algunos años, me enamoré de Ollantay, un guerrero fuerte y justo, un hombre maravilloso, respetado por todos, hasta por el mismísimo emperador. Nosotros nos amábamos en secreto, pero el emperador decidió que yo debía casarme con un noble, elegido por él, y no con Ollantay.

Yo estaba a punto de protestar, cuando ella siguió hablando, con su voz suave:

—Aquí las cosas funcionan así. Quien resulta elegida para servir al dios Inti debe obedecer. La que es elegida para casarse con un noble, también tiene que obedecer.

—¡*Parpolipopete*! ¡Cuánta obediencia! ¡Yo nunca aceptaría eso! ¡Jamás!

—Sin embargo, yo no pude obedecer porque ya estaba esperando un hijo de Ollantay. Y cuando el emperador lo supo, ordenó que me encerraran en este calabozo.

—¿Y hace cuánto tiempo sucedió eso? ¿Qué pasó con tu bebé?

—Creo que mi hija tendría hoy más o menos tu edad. Ah, lo que más me gustaría saber es qué habrá pasado con mi pequeña.

—¡Tenemos que encontrar un modo de salir de aquí! ¡Tú vas a reencontrarte con tu hija y yo salvaré a mi gato Samba!

—¿Cómo, si nunca abren esta puerta?

Tenía que hallar el modo de escapar de allí con Cusi. Si al menos pudiera enviarles alguna señal a Breno y a Tunki... Si ellos consiguieran entrar en Machu Picchu y ayudarnos... Entonces recordé mi colección de silbatos.

Los extraje a todos de mi superbolsillo y le pedí a Cusi que tocara conmigo muy fuerte. Soplamos y soplamos, con todas las fuerzas de nuestros pulmones, con la esperanza de que alguien nos escuchara, pero nadie apareció. Aun así, no me rendí hasta muy entrada la noche, sin preocuparme en lo más mínimo por la famosa paz del emperador. Toqué y toqué hasta que el cansancio me venció y me dormí.

Mi colección de silbatos para llamar a los pajaritos

música y fiesta

Por la mañana, apenas salió el sol, volví a tocar mis silbatos. E imaginen mi sorpresa cuando el chihuaco se posó en la reja de nuestra celda:

—Ningún músico se acerca, ningún músico se acerca —repetía.

Enseguida recordé que aquel pájaro embaucador decía todo al revés. Sus palabras solo podían significar que algún músico estaba llegando a Machu Picchu. Animada, coloqué dos silbatos en mi boca al mismo tiempo y soplé muy fuerte, emitiendo un sonido estridente y extraño. Cusi esbozó una amplia sonrisa:

—Ya veo que tú eres de aquellas que no desisten nunca, ¿verdad, Pilar?

—No desisto jamás. Acompáñame con el silbido, Cusi. En algún momento, alguien va a tener que escucharnos.

Soplamos juntas, hasta que ella hizo una señal:

—Espera, Pilar. Estoy escuchando algo diferente. Hagamos silencio por un instante.

Totalmente calladas, percibimos el sonido de una gran banda de flautas y tambores, tocando muy cerca de allí.

–Parece una de nuestras canciones de casamiento. Algunos nobles o generales suelen pedirle al emperador que elija una esposa para ellos entre las acllas.

–¿En serio?

Cusi hizo silencio repentinamente y pensé en Yma. ¿Acaso mi amiga también sería obligada a casarse con algún desconocido elegido por el emperador? ¿Tal vez nunca más podría estar con Tunki, aun estando enamorada de él? Enfadada, volví a soplar fuerte mis silbatos. Poco después, escuché el sonido de una guitarra acercándose, con una voz canturreando bastante parecida a la de... ¡Breno! ¡En unos instantes, mi más-que-amigo ya estaba del otro lado de la reja!

–¡Eres genial! ¿Cómo conseguiste ingresar en Machu Picchu?

–No fue fácil, Pilar. Entramos en la Ciudad Sagrada junto con unos músicos que van a tocar en una fiesta. Por suerte traje mi guitarra y Tunki siempre carga con su flauta. ¡Los guardias no se dieron cuenta de que había dos músicos más en la banda! ¡Después, escuché tus raros pitidos y me guie por el sonido!

–¡Adoro tu *creditividad*, tu banco de ideas siempre está

en alza! ¡Sabía que hallarías el modo de entrar aquí! ¿Dónde está Tunki?

–Allí, detrás de la piedra, vigilando por si aparece algún guardia.

–Quédense tranquilos. ¡Los guardias solo bajan hasta aquí a la hora de las comidas! ¡Ahora sácanos de aquí, por favor! –pidió Cusi.

Extrayendo del bolsillo su inseparable navaja, Breno abrió el candado de oro que cerraba la reja. ¡Qué habilidoso! ¡No sé cómo lo consiguió!

–¡Esta gente tiene oro para todo! Hasta para los candados. ¡Es increíble!

–Y aún no has visto la vestimenta del emperador. No entiendo cómo hace para caminar con tanto oro colgado en el cuerpo –comenté.

Cusi apenas podía creer que volvía a ver el cielo y a pisar el césped después de tanto tiempo. Una vez afuera, pude ver lo flaca y abatida que estaba. Rápidamente, fuimos a buscar a Tunki. Y, cuando estuvimos seguros de que el camino estaba libre, dejamos que ella nos guiara por una escalera lateral, que tenía los escalones cubiertos de moho. Por lo visto, nadie pasaba por allí desde hacía años.

Sacrificio

Desde lo alto de la Plaza Principal, vimos a los músicos de la banda reunidos, tocando alrededor de algunas acllas que se preparaban para bailar para el emperador, con sus rostros cubiertos por sombreros llenos de cintas coloridas. Al otro lado de la explanada, había un hombre grande y fuerte, que parecía importante y que pronto fue invitado a sentarse cerca del líder inca.

–Ese que está junto al emperador es... ¡Ollantay! ¡Mi Ollantay! –exclamó Cusi, mirando hacia abajo, muy emocionada.

Ninguna de las dos podíamos dar crédito a lo que veíamos. El gran amor de su vida, allí, a pocos metros... Cerca de él, una decena de jóvenes guerreros formaban una fila y, uno por uno, recibían aretes de oro y mantos rojos de parte del emperador. Por lo que Tunki nos contó, ellos habían ganado una batalla y ahora estaban siendo homenajeados. Súbitamente, se escuchó el sonido de un tambor y los guerreros se alinearon en la plaza para una carrera. Al toque de un silbato, todos salieron corriendo y el vencedor, un guerrero alto y flaco, fue llevado en andas por el resto, como un héroe.

—¡Eres el mejor! ¡Y mereces el más valioso de los regalos: una prometida! —anunció el emperador, llamando a las acllas con un gesto imperial.

A continuación, señaló a una de las jóvenes, y el guerrero inmediatamente tomó su mano, aceptando el presente.

—Ahora ella será tuya para siempre. Visita a sus padres y llévales este cesto de cacahuates. ¡Diles que fui yo quien te entregó a esta joven y que sean muy felices!

El emperador extendió una cinta roja para unir en forma simbólica a la pareja, y volvió a sentarse. Cuando el joven guerrero levantó las cintas del sombrero de la muchacha, vimos el rostro de Lasak. Ella miraba a su nueva pareja algo asustada pero, resignada, no dijo una palabra. Al menos, casándose, podría salir de la Ciudad Sagrada. De todos modos, yo me pregunté si ella tendría la suerte de ser feliz junto a aquel desconocido...

Después, el emperador hizo un gesto con las manos para que Ollantay se acercara a las jóvenes. El guerrero dudó, pero el emperador insistió, levantándose del trono para elegir personalmente a otra de las acllas:

—¡Tú también mereces un regalo! ¿Qué tal esta?

Cuando las cintas que cubrían el rostro de la joven fueron levantadas, Tunki gritó perplejo:

—¡Que Illapa, el dios de los Truenos, mande un rayo! ¡Que haga algo! Yma Sumac no puede casarse con él.

Desesperada, Cusi apretó mi mano y dijo:

—¡Por Inti! ¡Por el gran dios Viracocha! ¿El nombre de ella es *Yma*? ¡¿Yma Sumac?! ¡Ollantay no puede casarse con ella!

Breno me miró, impaciente, y me dijo en voz muy baja:

—¿Acaso Tunki y Cusi no van a hacer nada? ¿Se quedarán esperando realmente que un rayo caiga del cielo?

Para complicar aún más las cosas, vimos que el emperador ya estaba dando inicio a los rituales de los casamientos. Cinco animales fueron puestos sobre una piedra larga, atados y cubiertos cada uno con un manto rojo y blanco. Una llama sería ofrecida a Inti, el dios Sol, otra sería ofrecida a Viracocha, el dios Creador, la tercera sería para Illapa, el dios de los Truenos, ¡el cuarto era Cori, que sería ofrecido a Mama Quilla, la diosa Luna! ¡Sentí que me hervía la sangre! ¡¿Cómo?! ¡Ellos no podían sacrificar al pequeño Cori!

Lo peor aún estaba por llegar, pero solo lo percibí cuando Breno me codeó, completamente atónito:

—Eh... Pilar, ¿qué está haciendo Samba sobre esa mesa de piedra, todo atado?

¡*Parpolipopete*! Fue entonces cuando comprendimos que mi gato también sería sacrificado, en homenaje al emperador inca.

Con un hacha de punta dorada en una de sus manos, Willka Uma conducía la ceremonia sagrada y miraba al cielo, diciendo:

—Grandes dioses, acepten nuestras ofrendas y no dejen que nada le falte a nuestro emperador, ni a estas parejas, ni a nuestro pueblo...

Muy alterada, le dije a Breno:

—¡Mi gato no será sacrificado de ninguna manera! ¡Debo actuar ahora mismo!

—¡Espera, Pilar! ¡Voy contigo!

Sin ningún plan en mente, me acerqué *enfurundiza-da* hasta la mesa de piedra y comencé a luchar con el

Sacerdote. De inmediato, apareció Breno y le arrojó las bolas a los pies, haciéndolo caer. Después, mi amigo usó su navaja para cortar las cuerdas que sujetaban a Samba y a Cori.

Cuando Willka Uma, aún atontado por la caída, gritó llamando a los guardias, Breno y yo ya estábamos bajando por la escalinata, cargando a los dos animales.

Escapamos a toda prisa, saltando de plantación en plantación, de terraza en terraza. Y, una vez que conseguimos despistar a los guardias, entramos en una casa vacía, donde nos escondimos. ¡Samba estaba a salvo! ¡Y nosotros también! ¡Uf! Mi gato estaba en libertad y nunca más nadie nos separaría. Solo faltaba un detalle...

–¿Cómo saldremos de este lugar? –pregunté.

–Bueno, ahora voy a contarte lo que haré con todas las plumas que guardé dentro de mi guitarra.

Mi amigo inventor no fallaba nunca. Con su *creditividad* a mil, me contó su plan y me pidió ayuda para juntar madera, lianas y hojas grandes, enormes. Yo tenía algunos clavos guardados en una cajita en mi superbolsillo que también podrían servir. Por lo demás, solo debíamos tener esperanzas de que el invento funcionara.

Sin que nadie nos viera, llevamos todo el material al Templo del Cóndor. Allí, Breno comenzó a trabajar junto a la cría de llama. Y Samba y yo regresamos a lo alto de la Plaza Principal para intentar reencontrar a nuestros amigos. ¡Teníamos que salir de allí cuanto antes! ¡Todos juntos, obviamente!

Una historia de amor

Una vez en la Plaza Principal, descubrí que Cusi y Tunki habían finalmente decidido hacer algo, y el emperador, ahora furioso, los interrogaba:

—¿Qué es todo este alboroto? ¿Cómo has entrado aquí, muchacho? Y tú, Cusi, ¿cómo has escapado de la mazmorra?

—Yma no puede casarse con Ollantay —dijo Tunki, decidido—. ¡Nosotros nos amamos!

—¡Quien decide aquí quién se casa con quién soy yo! —gritó el emperador.

Ante semejante situación, Cusi reía y lloraba al mismo tiempo, con los ojos clavados en Yma. Poco a poco, reunió el valor y se acercó a ella, preguntándole en voz baja:

—¿Es cierto que te llamas Yma? ¿Yma Sumac?

—Sí —murmuró ella, sin entender nada.

—Entonces tú solo puedes ser... ¡mi hija! ¡Estás viva! ¡Qué hermosa eres!

Yma la miró desconcertada:

—Pero... ¡todos me dijeron que mi madre había muerto! ¡¿Tú eres mi madre?!

–Sí. Soy Cusi Coyllur, tu madre. Y estoy segura de que eres mi hija. Una madre nunca se equivoca...

El emperador estaba cada vez más enojado e impaciente:

–¿Alguien puede explicarme lo que está sucediendo? ¿Dónde está Willka Uma cuando lo necesito?

El Sumo Sacerdote seguía buscándonos a Breno y a mí, en algún lugar de aquella inmensa ciudad. Incluso arriesgándome, me pareció que era el momento de salir de atrás de la piedra donde Samba y yo estábamos escondidos y contarles a todos aquella gran historia de amor:

–Lo que sucedió, majestad, es que hace muchísimos años Cusi y Ollantay se enamoraron. Ella quería casarse con el general, pero Su Majestad no lo autorizó, pues quería que se casara con un noble. Al descubrir que ella estaba embarazada y que no podría obedecer sus órdenes, Su Majestad decidió enviarla a la mazmorra, ¡donde permaneció olvidada por más de diez años!

–¡Mi amada Cusi! ¡Mi adorada! ¡¿Estuviste todo este tiempo encerrada sin que yo lo supiera?! Te busqué por todos los rincones de este imperio... –dijo Ollantay, tomando y besando la mano de Cusi.

—¡Y aún hay más! —continué—. En la mazmorra, Cusi tuvo una hermosa hija: ¡Yma! ¡Nuestra amiga Yma Sumac! ¡¿Y ahora el emperador quiere que la hija de Cusi se case con su propio padre?! ¡Imposible! *¡Imposilable! ¡Imposiblezco!*

El emperador miraba a Yma y a Cusi sin recordar muy bien todas las órdenes que había dado, como si nada de aquello tuviera gran importancia para él:

—Ya me parecía que había visto ese rostro antes... ¡Ustedes dos son muy parecidas! ¡Pero ahora basta de historias! Los guerreros fueron homenajeados y tú también, Ollantay. Ya tienes lo que merecías. ¡Pueden retirarse!

Ollantay, sin embargo, no se movió. Miraba a Cusi y a su hija, Yma, aún perplejo, sin poder creer lo que pasaba. Incansable, él había buscado a su amada por todos los rincones del imperio incaico y finalmente ella estaba frente a él, en la Ciudad Sagrada, donde menos lo esperaba.

—Cusi Coyllur, amada mía, nadie volverá a hacerte daño.

Dicho esto, Ollantay estrechó a Cusi en sus brazos y pidió al emperador:

—Es con ella con quien quiero casarme, majestad.
Por favor, no nos lo impida o una guerra va a comenzar
aquí y ahora.

Rumbo a Cuzco

El emperador no aceptó ser desafiado por Ollantay e inmediatamente tomó su lanza:

—¡Arréstenlos a todos! Enciérrenlos en la mazmorra —ordenó.

—¡Nadie toca a mi familia! —repuso el general. Y, ágil como un águila, sujetó a Cusi con una de sus manos, a Yma con la otra y echó a correr. Tunki y yo salimos tras ellos, mientras los fieles guerreros de la tropa de Ollantay enfrentaban a los guardias del emperador.

—¡Llamemos a los insectos, Tunki! ¡Rápido! —sugerí.

Enrollamos dos hojas que recogimos del suelo y soplamos fuerte, atrayendo mosquitos, abejas, avispas. ¡Muy pronto, comenzó un *insectaque*! Una nube de insectos se formó alrededor de los guardias del emperador, impidiéndoles ver hacia dónde corríamos, y algo más: ¡apuesto a que se ganaron algunas picaduras bastante desagradables! ¡Bien hecho!

Ollantay y Cusi conocían la Ciudad Sagrada como nadie y les pedí que nos guiaran hasta el Templo del Cóndor, donde Breno nos esperaba. Por el camino, dejé que ellos continuaran y me detuve en la Casa de las Cerámicas, donde tomé la fuente en forma de cóndor. Al llegar al Templo, ¡qué hermosa sorpresa! Mi amigo ya había terminado de construir una especie de ala delta, matizado con todas las plumas que había coleccionado durante el trayecto. Para completar la obra de arte, até la cerámica con la imagen del cóndor en la punta del armazón.

–¡Listo! Ya podemos salir de aquí volando –anunció.

–¿Cómo, si no somos pájaros? –preguntó Ollantay, confundido.

–Confíen en mí. ¡Agárrense de esta madera! –mostró Breno, sin perder tiempo.

¡Aquello era muy arriesgado! Al fin y al cabo, éramos seis personas y dos animales en una única ala delta. Los guardias gritaron al avistarnos y pensé que nos arrojarían flechas. Para mi asombro, sin embargo, solo se inclinaron ante nosotros, haciéndole una reverencia al gran Cóndor. Más tarde, Yma me explicaría que el cóndor era un ave sagrada para los incas, que no podía ser matada ni herida o los agresores morirían en el acto. Así decían. ¡Afortunadamente para nosotros!

CÓNDOR

El cóndor reina en los cielos andinos. Llega a volar
a más de siete mil metros de altura. Es pariente de los
buitres y tiene una especie de bufanda blanca alrededor
del pescuezo. Hay personas a las que no les gustan
los buitres porque estos comen carroña. Pero ¿ya saben
que estos no matan a ningún animal? Se alimentan
de lo que ya está muerto.

¡El cóndor de los Andes me resultó un ave muy
elegante! Y me moría de ganas de dibujar su apariencia
particular en mi bloc de pájaros.

Así fue como logramos escapar, volando sobre el precipicio. ¡El despegue no fue nada fácil y grité mucho! Hasta Samba maulló, encogiéndose dentro de mi bolsillo. Pero la vista desde las alturas era espectacular. ¡Qué show! ¡Breno era realmente *fantastupendo*! ¡Mil puntos!

De pronto, un cóndor pasó muy cerca de nosotros y, al verlo planear, cerré los ojos y me sentí liviana, muy liviana, casi un pájaro también. Siempre a nuestro lado, el cóndor parecía guiarnos. Giramos con él y, aprovechando una corriente de aire caliente, ascendimos un poco más en el cielo. Minutos después, iniciamos un descenso vertiginoso.

No hace falta que les cuente que tuvimos un aterrizaje desastroso sobre los árboles. Por suerte, nadie se quebró ningún hueso. Salimos tan solo muy raspados. Por lo que habíamos visto desde el aire, no estábamos lejos de Cuzco. Solo teníamos que caminar algunas horas más a través del bosque. En algunos tramos, Ollantay tuvo que cargar a Cusi en sus brazos, pues ella aún estaba bastante débil por haber pasado tantos años encerrada en la mazmorra. Breno y yo llegamos a pensar que ella no aguantaría semejante esfuerzo, ya que pedía agua todo el tiempo. Una de las veces en que paramos a beber agua a la orilla de un río, Yma se acercó a Cusi y la abrazó, muy cariñosa.

–¿Por qué nunca me dijeron que estabas viva, mamá?

–Tal vez porque creyeron que yo realmente estaba muerta. Fuiste arrancada de mis brazos cuando eras un bebé, hija mía. Pero no dejé de pensar en ti un solo día de mi vida.

Entonces, Yma arregló los cabellos de su madre y besó sus manos, sonriendo:

–Qué bueno que nos encontramos nuevamente, mamá. ¡Qué bueno!

Después, fue el turno de Ollantay de unirse a ellas, visiblemente emocionado:

–Hoy recuperé a mi mujer y también a una hija. No existe conquista más valiosa en este mundo, ni siquiera para el más grande de los guerreros.

En ese momento, nosotros nos alejamos, para que ellos conversaran en familia. Después de algún tiempo, Yma dejó a sus padres a solas y fue caminando, sola y pensativa, hasta un árbol. Entonces Tunki se acercó y le preguntó:

—¿Hicimos mal en ir tras de ti?

—No, Tunki. Menos mal que lo hicieron. ¡Ahora solo quiero irme muy lejos!

—¿No quieres regresar a Ollantaytambo, nuestra ciudad?

—No. Quiero ir a un lugar donde pueda recomenzar todo, de otra manera.

—Dondequiera que sea ese lugar, yo iré contigo, Yma.

Y, dicho esto, la atrajo hacia sí y la besó, cariñosamente. ¡Qué bonito! Dejé escapar un suspiro y Samba me imitó. ¡Qué personaje, mi gato! ¡Todo un romántico!

Ollantay parecía algo desconcertado con tantas revelaciones y tal vez estuviera un poco endurecido por la vida y por las luchas. Fue Cusi, con sus modos siempre dulces y suaves, quien tomó su mano, lo miró profundamente a los ojos y no tuvo que decir nada más: ¡un beso vale más que mil palabras!

El sol estaba a punto de ponerse cuando me senté a la orilla del río para admirar el cielo y mojar mis pies cansados. En ese momento, Breno también vino a descansar a mi lado. Finalmente, teníamos un tiempo para conversar.

–¿Te gustó el vuelo, Pilar?

–Al principio, me morí de miedo. Después, vino aquel *enmaravillamiento*. ¿Viste el cóndor que volaba a nuestro lado? Me sentí como un pájaro, Breno.

Juguetón, él emitió una piada y yo lo imité, en una especie de charla codificada, solo nuestra. Cuando el recital terminó, me sonrió y me hizo un mimo en mis cabellos.

–¡Ah, mi pajarita! –dijo. Y posó sus labios en los míos y me dio un beso muy sonoro. Uno, dos, tres... ¡Ay, qué cosa más linda! Celoso, Samba saltó fuera de mi superbolsillo y me dio una lamida en el rostro. ¡Tuve que reírme!

–Sí, Samba. ¡También te amo a ti, gatito adorado!

Minutos después Ollantay se levantó, e impuso un ritmo más acelerado. Teníamos que atravesar el último tramo del bosque, antes del anochecer. Esta vez, sin detenernos. Cuando la luna surgió en el cielo, finalmente avistamos la famosa capital del imperio incaico: Cuzco.

¡En las calles de Cuzco, cuánta *coloreza*! ¡Una multitud cantaba y bailaba, con ropas hermosas! ¡Qué gente tan alegre y festiva!

CUZCO

Fue la capital del imperio incaico, desde el siglo XII hasta la llegada de los españoles, en 1532. Quien llega a esta ciudad, ubicada a 3.300 metros sobre el nivel del mar, puede sentir el soroche (¡un malestar terrible!). ¡Yo lo sentí! En las plazas verá danzas típicas. En los mercados, hojas con mil utilidades, instrumentos musicales, llamas, lana y ponchos. Cada esquina de Cuzco parece esconder un poco de historia. Dicen que debajo de cada iglesia existía un templo inca. Después de la conquista española, sin embargo, muchas construcciones fueron destruidas y substituidas por casas coloniales. Aun así, es una ciudad bellísima, declarada Patrimonio de la Humanidad. ¡Una joya preciosa!

¡Maíz crocante! ¡Una *delisura*!
¡Mejor que las galletas!

Nos mezclamos entre la multitud en una plaza inmensa, y allí Tunki nos contó que estaban celebrando la fiesta del Inti Raymi, el solsticio de invierno, en homenaje al dios Sol. ¡Nunca vi a un pueblo adorar tanto al sol! Yo también amaba los días soleados y me identifiqué con ellos. Pero creo que el sol es especialmente importante para quien vive en las montañas, donde hace mucho frío en el invierno.

La felicidad fue completa cuando pasaron distribuyendo mazorcas cocidas. Breno y yo disfrutamos de esos choclos maravillosos. Después, la fiesta se trasladó a una enorme fortaleza, donde fueron ofrecidas espigas a Viracocha y al adorado dios Inti. En unas gradas de piedra, mezclados con la multitud, pudimos finalmente sentarnos. ¿Pero quién dijo que íbamos a descansar? Tunki estaba tan feliz y animado que enseguida nos invitó a bailar.

Cantamos y festejamos de lo lindo. ¡Qué fiesta más increíble! Además de la danza y los cantos, había también representaciones teatrales. Por último, asistimos a una disputa de lanzamiento de bolas. Breno y Tunki también participaron, pero sus bolas no alcanzaron los blancos más lejanos, y el vencedor fue un guerrero flaco y alto, muy aplaudido. Ya era casi de madrugada cuando Ollantay nos contó:

—¡Listo! ¡Ahora el guerrero victorioso va a salir de la ciudad con el fuego sagrado y nosotros vamos a seguirlo! —explicó. Y no bien el guerrero, todo vestido de rojo, salió de la fortaleza, llevando una antorcha encendida por entre las calles de Cuzco, nosotros fuimos detrás de él.

—¿Cuál es el plan ahora? —preguntó Breno, intrigado—. ¿Adónde llevará esa antorcha?

—Ya lo sabrán. Seguiremos el fuego sagrado y vamos a cumplir el deseo de mi amada Cusi.

¿De qué deseo se trataría? ¡Yo estaba exhausta, pero la curiosidad me animó por completo!

Por las calles de Cuzco, vimos a Ollantay seguir al guerrero victorioso manteniendo la debida distancia. Caminamos por algún tiempo hasta que nos acercamos a una construcción sobria, casi sin ventanas. Era la Casa de las Elegidas, un lugar donde —según Cusi— también vivían muchas acllas, hijas del sol, encerradas para siempre, sin ningún contacto con el mundo exterior ni con la luz del día.

–Ellas guardan el fuego sagrado y lo mantienen encendido durante todo el año –contó Ollantay.

–Estas acllas prestan sus servicios al emperador cuando él está en su palacio principal, aquí en Cuzco. ¡Pero ahora ellas solo continuarán allí adentro si así lo desean! –dijo Cusi con la firmeza de una reina.

CASA DE LAS ELEGIDAS

También llamada Acllahuasi, la Casa de las Elegidas quedaba en Cuzco. Fue destruida por los españoles, quienes en el mismo lugar construyeron el Convento de Santa Catalina, en 1605.
Y, en lugar de acllas, allí vivirían monjas...

Puertas abiertas

Escondidos, esperamos hasta que el guerrero entregó el fuego sagrado y se alejó. Solo entonces Ollantay nos dio instrucciones de cómo haríamos para entrar en la Casa de las Elegidas. Había dos guardias en la puerta, pero el gran general Ollantay, el más grande de todos los guerreros incas, no tuvo dificultad para derribarlos.

Después, con gran decisión, Cusi avanzó rumbo al ala principal de la Casa, donde había decenas de puertas de hierro, todas cerradas por fuera. Vestida de negro, vimos aparecer a Mamacuna, una aclla anciana, que probablemente había pasado su vida entera allí encerrada. Nos escondimos en la penumbra de la sala, mientras Cusi se presentaba ante ella:

—Acabo de llegar de Machu Picchu. ¡Vine a devolverles el sol a todas ustedes!

—¿Cómo entraste aquí? ¿Cómo te atreves? ¡Solo Coya, la mujer de nuestro emperador, puede visitarnos! ¡Guardias! —gritó Mamacuna sin entender lo que sucedía.

¡De un salto, Ollantay se unió a Cusi y tomó de la cintura de Mamacuna un llavero enorme! Rápidamente distribuimos las llaves entre nosotros y abrimos, una por una, todas aquellas celdas. ¡Celdas, sí! A pesar de estar asustadas, las acllas fueron saliendo poco a poco: algunas más jóvenes que yo, otras más grandes que Cusi.

—¿Qué está pasando? —preguntaban.

—Ustedes están libres para elegir la vida que quieren llevar —explicó Cusi.

—¿Es una orden del dios Inti? —quiso saber una de ellas.

—¿Es una orden del emperador? —quiso saber otra.

—No es una orden de nadie. De ahora en adelante, sus vidas les pertenecen a ustedes y a nadie más —dijo Cusi, con voz clara y firme.

Ollantay tomó el fuego sagrado y guio a centenas de acllas descalzas y vestidas de blanco hacia fuera de la Casa de las Elegidas. Algunas, sin embargo, decidieron quedarse.

Sin atreverse a traspasar el portón, Mamacuna gritaba, desconsolada:

—¡El dios Inti va a vengarse! ¡Él las castigará! ¡Regresen! Regresen...

Las que salieron jamás regresarían. Apenas vieron la

luna en el cielo, apenas olieron el perfume de las flores,
apenas escucharon a los pajaritos supieron que dejaban
aquel lugar para siempre.

PAPAS

Las papas son originarias de la cordillera de los Andes
y empezaron a ser cultivadas hace unos ocho mil años
por los incas. En sus viajes, ellos cargaban papas
deshidratadas para tener qué comer por el camino.
Se las llamaba chuño, papas secas o incluso papas
viajeras. En el siglo XVI, los españoles llevaron estas
delisuras en sus barcos hacia Europa, donde la papa se
popularizó, propagándose por diversos países. Siempre
me pregunto: ¿quién descubrió la papa? Nadie lo sabe
con certeza. ¡Qué suerte que alguien encontró esta
maravilla y que hoy podemos comer papas fritas!
¡Me encantan!

¡Al fin, juntos!

Pasamos la noche escondidos en la casa de un amigo de Ollantay, que nos ofreció un buen techo y una deliciosa sopa hecha con varios tipos de papas. Las papas eran tan coloridas y sabrosas que hasta acepté algunas de regalo. ¡Qué *delisura*!

Por la mañana, la casa amaneció rodeada por centenas de personas y creí que todos iríamos a parar a la mazmorra. ¡Todo lo contrario! Les cantaban a Cusi y a Ollantay. Su historia se había propagado por la ciudad, al igual que la misteriosa liberación de las acllas. Ambos fueron llevados en andas por la multitud hasta la plaza central de Cuzco, donde fue celebrada la unión de esta pareja que había esperado tanto tiempo para poder vivir junta.

Yma presenció la ceremonia tomando la mano de Tunki y con su inseparable Cori atado a su espalda. Después, se sirvió una bebida bastante fuerte, llamada *chicha*, que Samba decidió probar. ¡¿Para qué?! ¡Quedó medio atontado y salió dando vueltas por el medio de la plaza como un trompo! ¡Qué espectáculo!

Cuando la fiesta terminó, busqué la hamaca mágica en el fondo de mi superbolsillo, Breno y yo la atamos entre dos árboles y nos preparamos para partir. Había llegado la hora de las despedidas...

—Chau, Yma. Chau, Tunki. ¡Nunca voy a olvidar nuestra aventura en Machu Picchu!

—Gracias por cuidar a mi pequeño Cori, Pilar.

—¡Ah, lo voy a extrañar tanto! ¡Chau, Corito! —abracé muy fuerte a Yma y luego a esa llamita tan adorable. Breno recibió un inmenso cargamento de choclos de parte de Tunki y a mí me obsequiaron un broche muy lindo, de oro y ¡con la forma de una llama!

—Esto es para que nunca te olvides de Cori. ¡Ni de nosotros! —dijo Yma.

¡Como si fuera posible olvidarlos!

Tunki también me dio un regalo para fortalecer los pulmones: una flauta de madera, hecha por él. ¡Me encantó! Entonces, Breno con su guitarra y yo con Samba y con mi flauta entramos en la hamaca mágica. Con un fuerte impulso hacia atrás, esta comenzó a girar nuevamente. Giró y giró, y solo se detuvo cuando ya estábamos en mi habitación.

Samba, sudor y salud

Apenas llegamos a mi cuarto, colocamos los choclos y las papas sobre mi cama. ¡Qué belleza! La cena ya estaba asegurada. Después, Breno y yo decidimos componer la canción que tanto queríamos. Él tomó su guitarra, yo tomé mi flauta peruana y mi bloc de notas y, finalmente, conseguimos crear una sambita en homenaje a mi gato querido:

SAMBA DO SAMBA

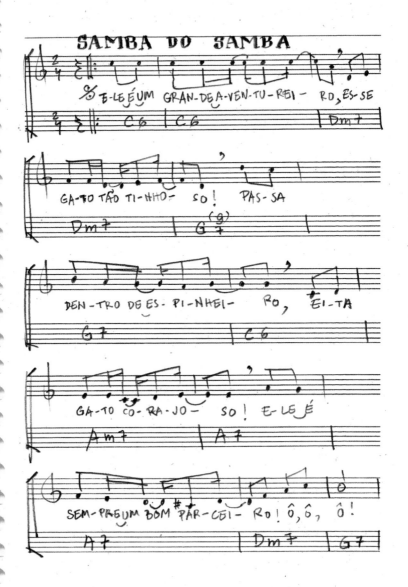

QUE FE-LI-NO MAIS MA-NEI- RO !

Dm7 | G7 | C6

REFRÃO

SAM-BA BOM SAM-BA BIM, GA-TO

C6 | C6 | G7

NÃO GA-TO SIM! SAM-BA

G7(9) | C6

BOM SAM-BA BUM, EN-TRA MEU

Am7 | Dm7

1. 2.

GA-TO NO NOS-SO ES-QUIN- DUM! SAM-BA DUM!

G7 | C6 | C6

* La melodía de esta canción fue compuesta por Pilar y Breno junto con el querido profesor de música Fernando Maciel de Moura. Quien lo desee, puede escuchar la grabación [N. del T: de la versión original en portugués] en el link: bit.ly/sambadosamba

SAMBA DE SAMBA

¡Es un gran aventurero
este gato testarudo!
Atraviesa hasta un espino.
¡Ay, que gato corajudo!

¡Es siempre un buen compañero! ¡Oh, oh, oh!
¡Mi felino es el primero!

¡Samba buena, samba así, gato no, gato sí!
¡Samba buena, samba común, siempre mi gato hace todo
al tuntún!

¡Come choclos y aun mosquitos
este gato tan goloso!
Si ya se comió hasta un pito
¡para él, todo es sabroso!

¡Es realmente jaranero! ¡Oh, oh, oh!
¡Qué felino bullanguero!

¡Samba buena, samba así, gato no, gato sí!
¡Samba buena, samba común, siempre mi
gato hace todo al tuntún!

Con la samba de Samba lista, tomé mi pandereta para hacer la percusión y mi gato se puso a dar vueltas sobre mi cama, muy feliz, como si supiera que la canción era para él. Estábamos en medio de ese ritmo animado cuando la puerta se abrió y aparecieron mi mamá y Bernardo, curiosos:

—¡Cuánta animación, Pilar! ¿Estás bien? ¿Mejoró tu asma?

—Todo está perfecto, mamá. Y tomé una decisión muy importante: ¡puedes decirle al doctor Jaime que jamás voy a separarme de mi gato!

—Quédate tranquila, hija. Él sabe lo que tú amas a Samba y me dijo que alcanza con que cepilles a tu gato todos los días y lo higienices correctamente, para que no ande soltando pelo por ahí. ¿De acuerdo?

—¡Qué bueno! ¡El doctor Jaime es realmente *fantastupendo*! ¿Entonces? ¿Quieren sumarse a nuestra banda?

—¡Claro! —asintió ella.

—¿Y puedo tomar clases de flauta también? Creo que soplar fuerte le va a hacer bien a mis pulmones —dije, mostrando la flauta que Tunki me había dado.

—Qué linda. ¿Quién te la dio? ¿Y esos choclos y papas?

—Fue... fui yo —improvisó Breno.

—¿Y ese arañazo en tu hombro, hija? ¿Qué pasó?

—Ah, mamá, esto fue un leve abrazo felino...

Breno y yo nos miramos, cómplices como siempre. En esa breve pausa, mi madre llenó mi hombro de yodo, me hizo un buen vendaje y enseguida recomenzamos nuestra sambita. Mi mamá y Bernardo se entusiasmaron y decidí reunir todos mis instrumentos para que ellos pudieran acompañarnos. Extraje de mi armario un cesto enorme con: agogó, cabasa, caxixi, maraca, raspador, atabaque, bongó, cuica... Pero cuando fui a buscar el tamboril, este había desaparecido.

Cabasa

Flauta Andina

Maraca

Guitarra de Breno

Caxixi

—Qué extraño, Breno... ¿Lo habrá movido Samba?

—Por cierto, ¿dónde está él?

En ese momento vimos la baqueta del tamboril balanceándose sola en la hamaca. ¡No era posible! ¿Acaso Samba se había llevado mi tamboril para ir a hacer percusión en algún otro lugar? Breno y yo nos sonreímos mutuamente: sabíamos lo que iba a pasar a continuación. Y, tan pronto mi madre y Bernardo abandonaron la habitación, nosotros saltamos a la hamaca, listos para una nueva aventura. Giramos y giramos sin saber adónde nos llevaría la hamaca mágica.

—¡Hamaca mágica, llévame que voy! Adonde sea...

Raspador

Agogó

Cuica

Atabaque

Bongó

Querida Pilar:

Encontré este silbato para llamar pajaritos en el mercado de Pisac y me acordé de ti. Tunki y yo ahora vivimos en esta ciudad, junto con mi madre Cusi y con mi padre Ollantay.

Estamos plantando choclos inmensos, uno más delicioso que el otro. ¡Tienes que volver con Breno y Samba para probarlos!

Besitos,

Yma

Pilar Buriti

Calle Sin Fin, Número 1

Apartamento debajo de Breno

Río de Janeiro, Ciudad Maravillosa

RJ – Brasil   22000 000

Mercado de Pisac, Vale Sagrado, Perú
By Bila Artzi © Isa & Ju, 18 julho 2012

Silbato para llamar pajaritos del mercado de Pisac. ¡Me encantó!

Muñequitas que Yma me envió.
¡Las hizo ella!

Machu Picchu
2.430 m

Río Urubamba

Comienzo
Camino del Inca

Camino del Inca

Ollantaytambo
2.790 m

Nevado Salcantay
6.271 m

N

— Camino del Inca

Valle Sagrado

Urubamba

Chinchero

Pisac
2.972 m

☆
Cuzco
3.399 m

América del Sur

Mar Caribe

Caracas

VENEZUELA

☆ Georgetown
GUYANA
Paramaribo
Cayena
SURINAM
GUAYANA FRANCESA

Bogotá

COLOMBIA

Boa Vista

Macapá

☆ Quito
ECUADOR

Manaus

Belém
São Luís

PERÚ

Teresina
Fortaleza

Natal
João Pessoa
Recife
Maceió
Aracaju

Rio Branco
Porto Velho

BRASIL

Lima

Machu Picchu
Cuzco
Lago Titicaca

Palmas

Salvador

Cordillera

BOLÍVIA

Cuiabá

Brasilia ☆

Goiânia

La Paz

Belo Horizonte

Campo Grande

Vitória

Océano Pacífico
Sur

de los

PARAGUAY

São Paulo

Asunción ☆

Curitiba

Rio de Janeiro

Andes

CHILE

ARGENTINA

Florianópolis

Porto Alegre

Aconcagua
6.961 m

URUGUAY

Océano Atlántico
Sur

Santiago

Ciudad de ☆
Buenos Aires

Montevideo

N

1- Límite del lecho y subsuelo
2- Límite exterior del Río de la Plata
3- Límite lateral marítimo argentino-uruguayo

*La cordillera de los Andes es la más extensa cadena montañosa del mundo, con aproximadamente ocho mil kilómetros
de extensión. Pasa por Venezuela, Colombia, Ecuador, Perú, Bolivia, Chile y Argentina.

PEQUEÑO DICCIONARIO DE QUECHUA

LO QUE MÁS AMO COLECCIONAR CUANDO VIAJO SON PALABRAS DEL LUGAR
QUE VISITO. AQUÍ VA MI PEQUEÑÍSIMO DICCIONARIO DE QUECHUA.

ACLLA — MUCHACHA ELEGIDA PARA ADORAR AL DIOS INTI

ACLLAHUASI — CASA DE LAS ACLLAS

APU — MONTAÑA, O ESPÍRITU DE LA MONTAÑA

CHICHA — BEBIDA FERMENTADA ALCOHÓLICA

CHOCLO — MAZORCA TIERNA DE MAÍZ

COYA — REINA

CORI — ORO

CUSCO — OMBLIGO DEL MUNDO

INTI — SOL

MAMACUNA — SACERDOTISA QUE VIGILABA Y EDUCABA A LAS ACLLAS

ÑUSTA — PRINCESA

PUMA — MAMÍFERO CARNÍVORO DE LAS AMÉRICAS

PUNCHU — PONCHO

QUINOA — GRANO TÍPICO DE LOS ANDES

QUIPU — MÉTODO DE CONTAR DE LOS INCAS, QUE USABAN NUDOS PARA MARCAR
      LAS CENTENAS, LAS DECENAS Y LAS UNIDADES

QUILLA — NOMBRE DE LA LUNA Y TAMBIÉN DE LOS MESES

SOROCHE — MALESTAR QUE AQUEJA EN LAS MONTAÑAS MUY ALTAS

TAMBO — LUGAR, CIUDAD. EL NOMBRE DE LA CIUDAD OLLANTAYTAMBO TAL VEZ
      SEA UN HOMENAJE AL GRAN GUERRERO: CIUDAD DE OLLANTAY

TUNKI — PÁJARO DE LOS ANDES DE COLOR NARANJA CON ALAS NEGRAS

VIRACOCHA — GRAN DIOS DE LA MITOLOGÍA INCAICA. CREADOR DEL SOL,
      DE LA LUNA, DE LAS ESTRELLAS, DEL TIEMPO, DE LOS HOMBRES

PEQUEÑO DICCIONARIO DE PILARESES II

COMO EN MI DIARIO EN AMAZONAS, SIGO INVENTANDO PALABRAS:

CANSATAMIENTO — UNA MEZCLA DE CANSANCIO CON AGOTAMIENTO.

CHISPADO — SALIR CHISPADO ES SALIR CORRIENDO, A TODA PRISA.

FANTASTUPENDO — ALGUIEN QUE ES GENIAL... ¡FANTÁSTICO, ESTUPENDO!

BRONCAZA — ALGO ASÍ COMO "¡MALDICIÓN, QUÉ RABIA, QUÉ IMPOTENCIA!", ¡TODO JUNTO
Y MEZCLADO!

COLOREZA — UNA BELLEZA MUY ALEGRE Y COLORIDA.

ATASMA — EL MÁS INSOPORTABLE ATAQUE DE ASMA.

CREDITIVIDAD — COMO UN BANCO DE IDEAS. QUIEN TIENE MUCHAS IDEAS BUENAS TIENE
LA CREDITIVIDAD EN ALZA Y ESO VALE ORO

DELISURA — CUANDO ALGO ES MÁS QUE DELICIOSO, SUPERA A LA SABROSURA, ES UNA
DELISURA. DAN GANAS DE EXCLAMAR — ¡QUÉ DELICS, DELÓCS, DELUX!

DESPADRADA — PERSONA QUE NO CONOCE A SU PADRE, COMO YO...

ENMARAVILLAMIENTO — CUANDO ALGUIEN SE QUEDA TAN MARAVILLADO ¡QUE PARECE
QUE ESTUVIERA FLOTANDO SIN PENSAR EN NADA MÁS!

ENFURUNDIZADA — ¡MUCHO MÁS QUE ENFURECIDA, FURIBUNDA O ENCOLERIZADA! ¡GRRRR!

IMPOSILABLE, IMPOSIBLEZCO — O SEA, NO SUCEDERÁ DE NINGÚN MODO...

INSECTAQUE — ¡UN TERRIBLE ATAQUE DE INSECTOS!

MIEDAZO — MUCHO MÁS QUE UN MIEDITO. UN ENORME MIEDAZO.

PARAPETELUNGA — PERSONA MUY TEDIOSA E IRRITANTE A LA QUE DAN GANAS
DE INSULTAR ASÍ.

PARPOLIPOPETE — ALGO ASÍ COMO "¡CARACOLES! ¡GUAU! ¡CARAMBA!"

PEDRÉS — IDIOMA DE LAS PIEDRAS. MUY DURO, SIN VOCALES NI MELODÍA.

SALVITADO — ¡SAMBA A VECES SE MUESTRA COMO UN SALVAJE MUY AGITADO!

Flávia Lins e Silva

foto de Beatrice Velarde

JOSÉ · BEA · FLÁVIA

2004

Flávia Lins e Silva

nació en Río de Janeiro. Estudió periodismo en la PUC-Rio e hizo una maestría en Literatura Infantil y Juvenil en Barcelona, España. Flávia tiene muchos amigos en todo el mundo. En 2004 visitó Machu Picchu, Cuzco y Ollantaytambo con sus amigos peruanos: José Ugaz y Beatrice Velarde. ¡Muchas gracias, amigos! Tiene más de diez libros publicados, entre ellos: *Diario de Pilar en Grecia, Cuaderno de viajes de Pilar, Diario de Pilar en Egipto*. Para saber más sobre Flávia y sus libros ingresa en: www.flavialinsesilva.com.br y al blog: http://diariodepilar.wordpress.com

foto de Isa Secchin

2012

Joana Penna

MACHU PICCHU · PERÚ

Joana Penna es carioca de pura cepa y ciudadana del mundo. Como Pilar, también sufre de glotonería geográfica, y después de vivir en Barcelona, Londres y Sri Lanka, se instaló en Nueva York con su marido e hijos. Visitó el Valle Sagrado con su amiga Isa Secchin y, juntas, sufrieron el soroche en Cuzco, cargaron crías de llamas en el regazo en Ollantaytambo y se deslumbraron con las ruinas en Machu Picchu. Sus libros, diseños y diarios de viaje están en: www.facebook.com/JoanaPennaIllustration